猫侦探
古堡变形妖

[俄罗斯] 卡佳·玛图什吉娜／著
陈玉增　邢淑华／译

江苏凤凰科学技术出版社
·南京·

图书在版编目（CIP）数据

猫侦探. 古堡变形妖 / (俄罗斯) 卡佳・玛图什吉娜著；陈玉增, 邢淑华译. — 南京：江苏凤凰科学技术出版社, 2021.6

ISBN 978-7-5713-1858-1

Ⅰ. ①猫… Ⅱ. ①卡… ②陈… ③邢… Ⅲ. ①儿童故事－俄罗斯－现代 Ⅳ. ①I512.85

中国版本图书馆CIP数据核字(2021)第059547号

猫侦探 古堡变形妖

著　　者	[俄罗斯]卡佳・玛图什吉娜
译　　者	陈玉增　邢淑华
责任编辑	孙沛文
责任校对	仲　敏
责任监制	方　晨
出版发行	江苏凤凰科学技术出版社
出版社地址	南京市湖南路1号A楼，邮编：210009
出版社网址	http://www.pspress.cn
印　　刷	北京博海升彩色印刷有限公司
开　　本	880 mm × 1230 mm　1/32
印　　张	6
字　　数	60 000
版　　次	2021年6月第1版
印　　次	2021年6月第1次印刷
标准书号	ISBN 978-7-5713-1858-1
定　　价	34.80元

小老鼠布布沙，
猫侦探的助手
小老鼠球恰，
猫侦探的助手
猫侦探达芬奇，天才
小老鼠皮克，
猫侦探的助手
海狸菲尔德，魔法师
灰狼变形妖，
神秘反派
小老鼠皮包奇卡，
贼仔的仰慕者

灰狼呜呜呜赫，城堡主人
老鼠贼仔，坏蛋
猫头鹰乌古哈，作家
刺猬阿加西，猫侦探的朋友
松鼠布拉卡，猫侦探的朋友
母鸡苦大哈，记者
椋鸟真尼，歌星

目　录

本书属于
请画一幅自画像

序幕
大家都知道他

谁是世界上最著名的猫？谁是最机智、最彬彬有礼、最和蔼可亲的猫，你们知道吗？

毫无疑问，是猫侦探达芬奇！只有他——睿智的猫侦探，能够迅速破案，揭开犯罪分子的丑恶嘴脸，发明创造新技术并谱写新鲜神奇的故事。

毋庸置疑，猫侦探达芬奇是一位真正的天才！

据说，他是从月球掉落到动物城的，并且立即完成了一系列为民造福的壮举：与海盗们交战，找到珍宝，甚至从狡猾的坏蛋、歹徒和无赖——老鼠贼仔手里夺回名画《蟒蛇的微笑》。现在贼仔一门心思想找猫侦探报仇，一雪前耻。但是，找到猫侦探并非易事，他的行踪难以捉摸。

动物城郊区有一栋小房子，里面住着三只勇敢的小老鼠：皮克、球恰和布布沙。达芬奇常常在那里度过美好时光。他很喜欢去小老鼠家做客，并且和他们一起体验惊奇的冒险。

我要喝茶壶里的茶！
独一无二的发明！
猫侦探的茶杯
在哪里呀？
茶
咖啡
可口可乐
午餐专用树墩

在黑黝黝的森林里……

在离动物城很远很远的地方，有一座残破的城堡。那里灯火全无，门窗紧闭。刺耳的狼嚎打破了寂静的黎明。城堡里好像什么都没有，就连城堡本身也没有了，它周围的森林也不复存在。

在恐怖事件发生数小时之前

“这将是今年夏天最为惊天动地的大事件！”猫侦探达芬奇欢欣鼓舞地挥动着爪子大喊，“你们能想象得到吗？几天后世界最著名的浮空飞行家将光临本地！你们每一位都可以欣赏到精彩的表演，最重要的是大家都可以乘飞艇、气球、充气风筝，甚至是气垫船尽情兜风！相信大家都**翘首以待**，准备迎接这场空前的盛会。”

“这太令人振奋了！”《母鸡真理报》记者母鸡苦大哈惊呼道。

她揉了揉眼睛，想弄清楚周围发生的事情。

翘（qiáo）首以待：形容殷切盼望。

广场上已经乱作一锅粥。动物们从四面八方聚拢过来，你撞我，我撞你，吵吵嚷嚷，把小旗、条幅和灯笼丢得到处都是。

几只刺猬用旧纸箱搭了个舞台，糊上五颜六色的彩纸，顺便把一旁的布谷鸟博物馆也装饰了一番。

老鼠皮克、球恰和布布沙无意中把“热烈欢迎”的横幅撕成两段，重新粘上后变成“欢迎热烈”，意思也变得**不伦不类**。

乌龟莎娃想在广场地面上画斑马线，可是他的动作太慢，以致于还没等到开刷，刷子上的油漆就干了。他不得不一次又一次地重复这个过程。

不伦不类：既非这一类，又非那一类，形容不成样子或没有道理。

“此情此景真是前所未见！”母鸡苦大哈被动物们的激昂情绪所感染，于是她用嘴敲了一下话筒。

话筒发出“吱吱”的噪声，苦大哈失望地“咯咯”两声。这时猫侦探拿起话筒摇了几下，噪音消失了。

“谢谢！”苦大哈小声说，“侦探，你确信来客不会受到什么威胁吗？云彩会不会掉下来？广场会不会熔化成岩浆，或者贼仔那个坏蛋在狂欢节期间会不会干点儿什么可怕的**勾当**？我们的读者对此次活动可是非常期待的！”

“不用担心。”猫侦探说，“我已经跟云彩们都谈好了，广场都在监控之下。而贼仔已经和犯罪活动一刀两断，答应改邪归正了。”

“我还是有些担心。”苦大哈眨巴着眼睛说，“难道真不会发生什么意外或者神秘莫测的事情吗？”

猫侦探达芬奇神秘地笑了笑。从他身旁经过的动物们都站住了，并且竖起耳朵听着。

“当然会有的！这只能是你，还有你的读者们和那些做贡献的功臣们才知道。你看，他们都在那边呢。”

苦大哈往猫侦探指的方向看了一眼，她惊讶地发现舞台旁边挤满了动物。

“狂欢节会有一位神秘嘉宾大驾光临！”猫侦探说，“他

勾当（gòu dàng）：事情，今常指坏事情。

没有翅膀，也不用气球，自己就能飞翔。他还能隐身**遁形**，穿墙破洞。他就是我的朋友，名震四方的神秘魔术大师海狸菲尔德公爵！”

“啊哈！”苦大哈比刚才更加兴奋，她把话筒伸到猫侦探鼻子底下，“他会隐形‘穿墙’飞翔吗？”

“可能。”猫侦探神秘兮兮地回答，“除此之外海狸菲尔德还为大家准备了一份惊喜！他答应为那些魔术表演者颁发一份神秘的奖品，现在还不知道获奖者会是谁。感兴趣的可以报名参加竞赛。我的助手们——猫头鹰乌古哈、椋鸟真尼、刺猬阿加西和松鼠布拉卡，将作为评委及颁奖嘉宾参加。详情可以咨询他们，现在我还有紧急的事情要处理。”

达芬奇向苦大哈递了个眼色，把话筒交给她就离开了。

苦大哈拿起照相机奔向舞台。舞台周围的群众中有魔术师、重量级运动员、江湖术士、吞剑表演者、杂技演员，还有黄鼠史木茨。他不表演魔术，而是要在舞台上卖裤子

遁形：隐藏形迹，隐身。

吊带。

大家不排队就争先恐后地冲向舞台上的那张桌子。松鼠布拉卡正在那里挥动着什么文件，猫头鹰乌古哈在一旁扇动着两个翅膀。

“安静！”乌古哈叫道，“大家快排队！你，狗熊傻东，唱歌的不予登记！那不是魔术。还有，你耳朵好像有点不对劲。”

“我的耳朵好着呢，听力也好，完全正常！不像兔子，现如今，他只能玩打击乐器了。”傻东委屈地说。

兔子拿着一把锤子在狗熊的背后使劲一抡，结果用力过猛，锤头反倒甩到后头去了。兔子跌倒在地，摔得四仰八叉。乌古哈笑得打了个嗝儿。

“评委们拍集体照了。”苦大哈突然跳上舞台，接着就是“咔嚓咔嚓”的照相机声。

“可别给我拍照啊……嗝……我不能不化妆……嗝……就出现在大庭广众之下！”

乌古哈大吼，同时用翅膀把头盖起来。

台下突然传来了尖叫声，乌古哈不再打嗝儿了。不知道是谁晕倒了，几只麻雀吓得四处乱飞。

动物群中闪出一块空地，一只紫色的小老鼠把大家吓得拼命逃窜，是贼仔，他凶狠地尖叫着挤到台前。

“不要这样看着我！我已经梳过头了，鼻子上还打了蜡呢！”贼仔嘟囔着来到桌子跟前。

的确，这个坏蛋比平时体面了不少。又长又细的尾巴尖上打了个结，梳理得也很整齐，胸前还戴了一个蓝底白点的领结。

“那边吵吵嚷嚷的出什么事了？”乌古哈气呼呼地问，然后把头转到后面一动也不动，好像生来嘴就长在后脑勺上似的。“太影响我们工作啦！”

贼仔边咳嗽边整理自己的领结。

“你在这里干什么？”乌古哈一脸不屑。

“我想参加比赛。”贼仔大胆地说出自己的心愿，推开在他后面想抓住他胳膊的小老鼠皮包奇卡。“我要表演一个魔术，让你们的海狸菲尔德惊掉下巴！”

“快看呀！他要表演魔术了！”猫头鹰惊叫一声，“你那些魔术我一看就会，都是些鬼把戏，根本算不上魔术！要是你现在能钻到油灯里去，像阿拉伯神话里的妖精那样；或者像古堡的变形

妖呜呜呜赫那样，摇身一变，变成一匹恶狼，那就另当别论了。”

“什么城堡？”

“什么城堡也没有！”乌古哈吼道，“如果你能学会变形，就来吧。”

贼仔气得鼻子直抖：“我就想做一个安分守己的普通动物！”

小老鼠皮包奇卡从贼仔身后跳出来，大家都知道她性格温柔，但这时候她好像发了疯，瞪着眼睛，挥动爪子猛敲桌子。她把所有文件都震得满天飞，让文件全都搅和在一起了。

“别再埋怨贼仔了！”皮包奇卡发出一声尖叫，“从前他是一个坏蛋，可是现在你再看看他，爪子已经洗得干干净净，脖子上还系了个领结！怎么能不让他表演呢？”

“出去！”乌古哈愤怒地用翅膀指着旁边。

“去哪儿？”贼仔问道。

“从这里滚出去！什么比赛也没有你的份，除非你做点儿有意义的事！”

贼仔本来是紫色的，但是被这些话气得变成了深红色。盛怒之下他一脚踹翻了桌子，又吐了一口唾沫，凶狠地叫道：“你可要小心啊，夜猫子！我知道跟谁能学会让你羽毛都竖起来的绝活！”贼仔扯下领结，扔到地上。“动物们，害怕吗？我要给你们表演一个魔术，和它相比，你们那些节目都是小菜一碟。我要寻求真正的魔法，你们都无法抵挡！”

贼仔一边吱吱叫喊，一边骂骂咧咧地离开了。

“等等，贼仔，你把领结忘了！”皮包奇卡喊道，可是贼仔已经无影无踪了。皮包奇卡把领结贴在胸前，伤心地说：“我的爪子再长一点就好了，那我就一定能抓住你，不让你走！如果我穿得再漂亮一点，说不定你会爱上我呢！我准备竭尽全力，把你留在身边，赴汤蹈火也在所不惜！”她看看周围，寻找支持者，可是动物们没有搭理她的。

椋鸟真尼从桌子上一头摔下去，好像是昏迷过去了，可是还一会儿睁开右眼看看，一会儿睁开左眼看看。乌古哈扇动着翅膀，又开始打嗝儿，要喝水，或者果汁，或者吃三明治什么的也行。刺猬阿加西想把身后的针刺从椅子背里拔出来。苦大哈在一旁奋笔疾书，撰写《母鸡真理报》号外通讯稿，讲述广场上发生的事情。还有那些子虚乌有，根本没发生的事情。

母鸡真理报

快讯

关于比赛！诸位！诸位！诸位！

报名参加《残酷的魔术》竞赛，可获得魔法大师海狸菲尔德颁发的超级大奖！

颁奖嘉宾：

最高荣誉市民猫头鹰乌古哈、椋鸟真尼、松鼠布拉卡、刺猬阿加西，当然了，还有海狸菲尔德亲临会场。赶紧报名吧！

注意危险！

动物城里又发现了狡猾的骗子贼仔！他那副长相大家都深恶痛绝，所以本报从不刊登他的照片。

母鸡苦大哈

猫头鹰乌古哈的笔记簿

猫头鹰乌古哈又开始在小本子上记录猫侦探达芬奇的事迹。没有什么忌讳，只是抒发乌古哈的个人观点。可是，我们都知道猫头鹰的脑袋可以转动 180° ，因此，一切事实也都从头到尾颠倒过来。

不要相信那些舞文弄墨者的狂言，还是读我们的报纸吧！

母鸡苦大哈

私人声明

捡到一个钱包，很大很重，装满了金币。

借此机会向失主道谢。也希望还能在原来的地方捡到更多的钱。

黄鼠史木茨

为了不致偶然邂逅，
碰上什么妖魔怪兽，
夜深人静之时，
别来荒山野林闲游。

老旧不堪的城堡让人瑟瑟发抖，
没人保养维修，
那里既没有小路也没有大路，
只有石头、废墟和臭水沟。

第一章
变形妖的洞穴

夜幕在黑森林里低垂，夜色在树林里弥漫。月光透过树枝交错的空隙，照在那个**踽踽独行**的坏蛋身上。

踽踽（jǔ jǔ）独行：形容一个人走路孤零零的样子。

突然传来“嘎巴嘎巴”的断裂声，好像有什么落上枝头。贼仔尽可能不弄出响声，免得惊动林中的其他动物，这些动物常常潜伏在暗处，伺机而出。贼仔环顾四周，没发现什么可疑的地方。树木依然纹丝不动地矗立在那里，活像一堵阴森森的高墙。

“谁在跟踪我？赶紧给我出来，不然可没你好果子吃！”贼仔看见树木间似乎有什么东西蠢蠢而动，随即大喝一声。

一个白花花的家伙，哆哆嗦嗦地从树林里钻出来，原来是小老鼠皮包奇卡。只见她吓得低垂着脑袋，用爪子揉搓着自己的裙边。

“是皮包奇卡吗？”贼仔很惊讶，“你这是怎么回事，难道是在跟踪我吗？”

“是在跟踪你。”皮包奇卡支支吾吾地说，“我知道你在琢磨干什么坏事，劝你可别这么干，快回城里去吧！我可以教你几招魔术，比如心灵移动术；还有嘴里叼个肉饼，瞬间把它变得无影无踪；或者意念发力术。还有简单好做的：你可以往脑门子上抹点胶水，粘上一把勺子，怎么也弄不掉！”

贼仔厌恶地皱起眉头：“你的主意真不错！向后转，往前走！你一点儿用都没有，我能找到一位更好的老师。”

皮包奇卡正想反驳几句，可是一声狼嚎打破了深夜的寂静，一群鸟儿惊叫着冲向云霄。

“这是一只什么动物呀？”皮包奇卡小声嘟囔了一句。

“变形妖！”贼仔扯着嗓子大喊一声。

“哎呀，变形妖啊！”皮包奇卡用爪子捂着双腮，似乎她马上就要被吓死过去，眼睛里满含泪水。“这也太可怕了！别往前走了！”

“变形妖会教我变真正的魔法，让我在魔术大赛中赢得大奖！这样动物们就会喜欢我，尊敬我。”

“难道大家还不够尊敬你吗？你是一个超级魔头，耗子精贼仔！大家都敬畏你。”

“从前他们是敬畏我，可现在都嘲笑我！当然了，这帮动物现在都成了社会名流了，**道貌岸然**地坐在颁奖台上，连照片都登在报纸上了！”贼仔从口袋里拿出一张报纸，看了一眼照片，气恼地把报纸一扔，直接扔到了皮包奇卡的脸上。

“你看见没有，我也要这样！我也要大名鼎鼎，让这帮名流都巴结我，还要跟我合影留念！”

“那你就不想和我好好相处吗？”皮包奇卡从脸上拿开那张报纸，用它擦掉涔涔的泪水。

“这对你有什么好处呢？老鼠就是老鼠。”贼仔挥了挥爪子就往前走了。

皮包奇卡在道路上站了一会儿，迈着小碎步跟在贼仔后面，小声地发着牢骚，抱怨生活。

道貌岸然：意为神态严肃，外貌一本正经的样子，用以讽刺故作正经，表里不一的伪君子。

我徜徉在尘世间，
无所畏惧勇向前，
此地本无路可走，
风催树倒乱枝残。

我想往哪里飞就往
哪里飞！

可别叫吸血鬼撞见，
与它邂逅不是我心愿，
我不想堕入黑暗墓穴，
也不愿蹚过沼泽泥潭。

月亮时隐时现，
光辉把尘寰洒遍，
这鬼怪出没的荒林，
真是让人心惊胆寒。

我不会装熊掉头跑，
不达目的绝不罢休，
在这妖魔横行的老林，
一定把那城堡找到。

道路蜿蜒曲折，经过树林，绕过大石头，直通山脚。贼仔靠地图指引往前走，最后终于看到了一扇大铁门。大门“吱呀”一声自动敞开了，好像看见了来客似的。

一缕轻烟在荒芜的园林里袅袅升起，像蜘蛛网一样笼罩在园林深处。那座城堡如同一块阴森恐怖的巨石巍然不动。

皮包奇卡仰着头，惊恐不已。

城堡虽然残败，四壁破乱不堪，裂纹遍布，但是昔日的威严依旧。塔楼奇迹般地完好无损，直耸云霄。黑洞洞的窗口像眼睛一样茫然俯视着森林。蝙蝠栖息在高高的墙垣上。城堡入口装着沉重的大铁门，通向深邃的庭院。

突然发生了一件令人难以想象的事情。一块乌云遮住了月亮，当月亮再次出现之后，在城堡最高的塔壁上映出一个黝黑的身影，那巨长的爪子伸向星星，声嘶力竭地嚎叫着。

皮包奇卡差点吓晕过去，一声呼叫让她恢复了神志。

“是他！”贼仔跳起来，摇晃着耳朵，“喂，变形妖！过来呀！”

让皮包奇卡奇怪的是，一个身影在塔上一闪即逝。贼仔穿过拱门，跑到大门前拉动把手。门慢慢打开，可是里面有股力量在使劲往回拽。皮包奇卡跑过去拽住贼仔的尾巴帮助他。

大门敞开了，传来一阵好像抽打东西的声音。

贼仔和纠缠他的皮包奇卡一起进入城堡。大门“砰”的

呜——呜——呜——呜！
若干世纪之前的城堡
别大声喊叫！
嗓子会喊哑的！
要不让他清清嗓子？

一声关上了，他们面前漆黑一片，伸手不见五指。

周围一片寂静。

“哎！我知道你在这里。现身吧，变形妖！”贼仔说。

火花一闪，壁炉放出耀眼的亮光。壁炉旁边站着一头弓腰驼背的灰狼，他长长的身影穿过整个古老的大厅。大厅里高高的立柱支撑着天棚，地板的一侧已经倾塌，下陷成一个大坑。墙皮斑驳脱落，上面还挂着几张发黑的肖像。一片片的蜘蛛网从天棚上垂下来。壁炉旁有一张罩着兽皮的沙发，还有一张小桌。

灰狼朝客人走近一步，他的体型是贼仔的几倍。从他那蓬乱的皮毛和皱皱巴巴的衣着可以看出，灰狼并没有想到会来两位客人。

“你们到我的城堡来有何贵干呀？”

“不——不，没什么事！我们是迷路了，走错门了，我们应该到路那边去。”皮包奇卡开始说。贼仔踩了一下她的爪子，这家伙才闭嘴。

灰狼把牙齿咬得“嘎吱嘎吱”响，突然换了一副面孔。刚才他只是站在壁炉旁，现在则龇牙咧嘴，**居高临下**地盯着贼仔。

贼仔丝毫不动声色，只是后脖颈的毛竖起来了。

居高临下：占据高处，俯视下面。形容占据的地势非常有利。

“哦，我想让你教我变身术，让我能变成任何动物。”贼仔说道，“我可以付学费，你要多少都行！”

“你也没有钱呀。”皮包奇卡觉得很奇怪。

“钱会有的！”贼仔反驳说。

“不！”灰狼冲到沙发前，开始收拾那上面的东西：大衣，长袜，编织帽。“走吧，不然大难就要临头了。”

“咱们快离开这儿吧！”皮包奇卡擦着鼻子，泪珠滴到地板上。“没看见吗？变形妖正忙着呢。”

灰狼把帽子按在胸前：

“别一把鼻涕一把眼泪的！我受不了哭哭啼啼的。我谁也不欢迎，滚吧！”

贼仔眯缝着眼睛看着灰狼，挑衅地说：“我明白了，你是假扮的变形妖，其实你啥也不会！我千里迢迢跑到这里见到个冒牌货，真是太不值了！听到没有，皮包奇卡？这不是什么变形妖，这只是一条普通的，再普通不过的狼。哦，我有主意了，我们就在这里安顿下来！让大家都以为我们也是变形妖。”

“你们怎么能在这里安顿下来？这是我的城堡！我谁都不欢迎！”

“那你怎么能把我们赶出去呢？你就是一条普通的狼。如果你是变形妖，那就另当别论。我们是不会和变形妖纠缠的。”

“你们怎么回事，不相信我吗？看到了吧，这是我的肖像！”说着他跑到墙前给他俩指着那幅肖像，上面画的是长着蜘蛛腿、两眼闪光的灰狼。

画上的灰狼比真实的整洁很多，看上去也更凶狠。画下面还有题字：

灰狼呜呜呜赫，残破旧城堡的主人变形妖。

“这证明不了什么，”贼仔嘟囔道，“我也可以给自己画一幅肖像，然后写上吸血鬼，哪怕是美人鱼也行。”

灰狼被这种无耻的行为气得咬牙切齿，他攥着那顶皱皱巴巴的帽子，握着拳头说：“算了，我已经发过火了！如果一分钟内你们还不离开，我就要以完全不同的面目出现了，性格也会大变，到那时你们可就没什么好下场了！”

“那咱们就走着瞧吧。”贼仔厚颜无耻地嘿嘿一笑。

灰狼扑向壁炉，贼仔以为他要往火堆里跳呢。其实他只是把壁炉往一边挪了挪。壁炉后面露出一个壁龛，里面有楼梯通向地下室，灰狼冲下去了。

“你这是干什么呀？”皮包奇卡惊讶地瞪着两只大眼珠子说，“现在他变成凶恶的变形妖，会把你撕碎的！”

“你又在那危言耸听。”贼仔不情愿地看了一眼打哆嗦的小老鼠说，“只要灰狼变成变形妖，我就对他赞不绝口，他就会变得和蔼可亲，高高兴兴地说出他的秘密。”

“如果他不说出秘密，反倒把你吃了呢？或者把你撕成碎片呢？”

“这不可能，我也成不了什么碎片！”

突然，从地下室传出轰隆声，皮包奇卡跳起来，一下子变得跟傻子一样。

“发生什么可怕的事情了？”她尖叫一声，“快跑，快跑，逃命啊！”

但是贼仔站在原地一动不动。

“那我只好自己去对付他了！”皮包奇卡叫喊着冲向地下室去找变形妖，“你千万不要撕碎可爱的贼仔呀！”

贼仔感到很奇怪，甚至无所适从。

从地下室又传来一声巨响，压过了灰狼刺耳的嚎叫声。

“不要动，这是我的！”

“这是怎么回事？”皮包奇卡的叫声更高了，“这不可能！”

“呜——呜——呜！女贼！你等着，你马上就会受到惩罚。”

贼仔跳起来，不知道是先救皮包奇卡呢，还是先救灰狼。突然，从地下室冒出两只大眼睛对他怒目而视：一只发红光，另外一只发黄光。

狂躁的狼嚎响起。贼仔觉得毛骨悚然，两条腿抖个不停。他的坏主意瞬间全都从脑袋里溜走了。

从地下室里冒出一只巨兽。贼仔一眼就看见他有很多条腿，像蜘蛛一样，头上长着两只大耳朵。

“皮包奇卡在哪里呀？”贼仔结结巴巴地问。

“你猜！”变形妖叫道，“现在你喜欢我了吧？”

巨大的狼蜘蛛妖怪登上最高台阶，全身伸直站在贼仔面前，向他伸出毛茸茸的爪子。

“救——命——啊！”贼仔感到害怕，踢了变形妖一脚。

变形妖摇晃了一下，在台阶上没站稳，又掉回地下室里去了。

“皮包奇卡！我会回来找你的！”贼仔喊了一声冲出了

可怕的城堡。

夜晚的森林很凉爽，月亮正在落向地平线。

贼仔吓得尖叫着在废墟中奔跑，想离这个怪物越远越好。

逃，逃，逃！

贼仔跳过栅栏，后爪超过前爪飞快逃跑。月亮像一盏探照灯一样照亮前方的路。贼仔还从来没有这样害怕过，他总觉得变形妖就要抓住他的尾巴了。

“呜——呜——呜——啊——啊——啊！”他听到身后的叫喊声。

变形妖冲出城堡，撞倒了一段墙。他闻了闻气味，想确定贼仔往哪里跑了，又用八条腿踩住一块石头，冲向大门口。

这时一团巨大的乌云飘了过来，贼仔祈求乌云吃掉月亮，就像变形妖马上要吃掉他一样。贼仔撞到石头上跌倒了，浪费了宝贵的逃跑时间，他连滚带爬来到路边，躲在了大树后面，听见了沉重的脚步声。怪物越来越近……最后停下了。

贼仔用爪子抱着头，紧贴地面趴着，听到旁边有谁喘着粗气。变形妖就站在那里，好像已经站了一个世纪。乌云躲开了月亮，月光便又照亮林中夜幕，一束月光照在贼仔身上。

“这下全完了，我完蛋了。”贼仔想。不过让他稍微松了口气的是，变形妖号叫了一声后又往前跑了。

“不管你藏到哪里，我一定能抓到你！”变形妖在远处喊道。

一切都静了下来。

贼仔几乎就要哭出声来，现在只剩下他孤身一人，不幸陷落到可怕的林子里。由于他的过错，在城堡里，皮包奇卡落入变形妖的魔爪。或许她还活着吧？看来，寻求变形妖的支持并不是什么好主意。说实话，这是贼仔最糟糕的想法。

“不，我会找到惩罚你的办法，并且救出皮包奇卡！”贼仔断然做出决定，马上严肃地扬起眉头。只是现在一定要回到动物城，而那里……

一想到过去的事，贼仔皱起了鼻子。但是，贼仔毅然决定，坚决干到底。

来玩一会儿吧！
走开！
我不和你交朋友！

吵吵闹闹看帅猫，
学识渊博智商高。
点子太多满头脑，
犹如机枪冲你扫。

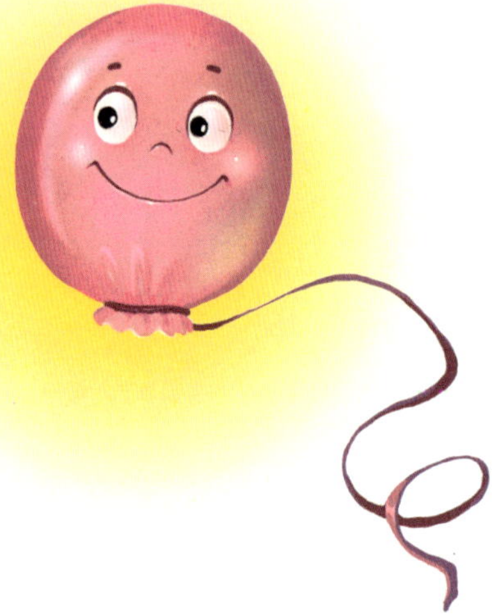

第二章
把我藏起来！

如果猫侦探达芬奇要做什么事，那一定声势浩大。为了策划节日庆典，他在小老鼠家成立了指挥部，老鼠们都倾力支持这位天才。

所有的房间都堆满了宣传画、演出服装和装焰火的箱子。墙上贴满了五颜六色的表格，有参加者名单、物料统计表和计划安排。猫侦探做了一个广场模型，模型直接放在地板上：用纸箱代替房屋，松果代替动物，小气球代替大气球。

“活动从早晨八点钟开始。”猫侦探庄严宣布。他耳朵上夹着一支铅笔，腋下夹着一份文件。“要让椋鸟真尼那首歌响彻云霄。然后气球从四面八方汇聚而来，庆典就这样气势磅礴地开始！”猫侦探挥了一下爪子。

“魔法师什么时候到啊？”布布沙问道，“我很希望见到他。”

“魔法师海狸菲尔德会在广场的上空直接现身，时间是中午十二点。”

新陈代谢是信条，
至今让我不胜扰。
我的机体它占满，
腹中瓜籽真不少。

在我体内任来往，
犹如船儿水上荡。
肚里咕咕撞肋骨，
再冲鼻咽直发痒。

它们令我难入眠，
忽冷忽热不胜烦。
不仅入脑成立杆，
还要外表有表现。

爆竹过期了吗？

猫侦探边说边拿起一个爆竹，在模型上面拉响。老鼠们惊吓得尖叫起来。

松鼠布拉卡负责接待来宾，猫头鹰乌古哈到时会发表庄严致辞，刺猬阿加西则负责现场照明。之后，魔术比赛将会开始。

老鼠们帮助猫侦探把几个松果放到纸盒搭的舞台上，表示魔法师海狸菲尔德和其他动物要站的位置。

“可惜我不能参加比赛。”粉红色的老鼠球恰叹了一口气，同时又满怀希望地补充说，“我很想通过魔法学会唱歌，然后在音乐会上感动所有的观众。”

“这事你可以相信我。我教你不用魔法就会唱歌。”猫侦探用美声唱法喵了一声，“这样，每天练习五分钟，你明年就能像夜莺一样歌唱了。”

“可是我现在就想唱得那么动听呀！”

猫侦探抚摸着球恰的头说：“每个聪明的老鼠都必须懂得，魔法会消散，过后你什么也留不下。但是，如果你本领在身，那是永远都丢不掉的。月球上的天才们都这么说。”

“真可惜……”球恰叹口气。

“不必伤心。我们会用自己的力量达到所有的目标。”猫侦探大喊一声，“全世界都将变个样。你们看着吧，我们的动物城将变成动物文明中心！我们要开办大学、剧院、体育馆，还有许多娱乐场所。”

“乌拉！”老鼠们高兴地跳起舞来。

猫侦探也跳了几下，不过还是控制住自己，停下来郑重地说：“现在我们该办正事了。老鼠们，我有急事委托你们去办！”

老鼠们激动得摇头晃尾。

“你，球恰，把这些邀请函送到邮局去。布布沙跑步去甜品店订一个大蛋糕，要足够一百个动物享用。你，皮克，弄几个强力探照灯，要能在天黑时照亮整个活动现场。”

“乌拉！”老鼠们心满意足，高兴地大声尖叫。

球恰拿起装满邀请函的书包，立刻往街上跑去。

皮克和布布沙还没来得及去追她，球恰已经返回来了。她的样子就像看见了鬼魂，眼神游离不定，爪子颤抖，连爪子里拿着的那份报纸也和爪子一起抖动。

“看看吧，这是我在门口捡到的报纸！‘阴险的坏蛋贼仔企图破坏狂欢节’。”球恰读道。

猫侦探拿过报纸读了一遍全文。

老鼠们哆嗦得太厉害了，把橱柜里的餐具都震得叮当响。

“猫侦探，怎么办呀？吓死我们了！”

“都先安静！难道你们以为一个小倒霉蛋贼仔就能破坏我们的盛大节日吗？”猫侦探问道，“我会让贼仔乖乖回来，并且向我们道歉。”

猫侦探的话音还没落，门把手就转动起来，外面响起

母鸡真理报

快讯

变形妖就在身边！变形妖就在我们中间！

动物城的居民们被吓得魂飞魄散，那个妖怪昨天夜里就在街上逛荡。

目击者四处逃散。有些目击者说见到了一个巨型蜘蛛，另外一些则说好像看见了八条腿的狼，还有一些说好像看见了外星生物。

动物们吓得都不敢从家里出来！狂欢节受到影响！

本报将对此进行独立调查。

请给本报提出宝贵线索，收信地址如下：

动物城，咕咕广场，黄房子，《母鸡真理报》编辑部，苦大哈。

“咕咕嘎嘎”的声音：“猫侦探，开门呀！我来了！”

皮克、球恰和布布沙吓得团团转。

“是他！”

“妖怪！”

“快躲起来！”

老鼠们跳进一个大纸箱里，从里面扔出一堆破布条子。

猫侦探平静地走到门前，从门上的猫眼儿往外看，可是什么也没看到。

“谁在那里呀？”

“快开门！是我！贼仔！”

猫侦探不胜惊讶地放这位怪客进屋。

“达芬奇！你在这儿，真是太好了！”贼仔一口气说完这些话，把一个沉重的手提箱“哐当”一声放在地板上，“快把门锁上！”

“真有你的！看来我真是聪明绝顶，我都佩服我自己了，因为对你不请自来我早就有先见之明。”猫侦探小声说。

“他在后面追我。”贼仔嗓子沙哑地说，用圈椅把门顶上，然后快速地在屋里跑了一圈，把窗帘都拉上了。“今后你想叫我做什么、去打谁，做鬼脸吓唬谁都行……只要帮我战胜他就行！”

“这取决于你说的是谁。如果事情关系到好动物，我会帮你，因为我心地善良嘛。”猫侦探说。

贼仔拉过一个小凳子，站上去对着猫侦探的耳朵悄悄说：“这是一个让人望而生畏的可怕动物！他的名字谁听了都要吓个半死，甚至会失去知觉。你准备好了吗？”贼仔使出全身力气大喊，“追我的是变形妖！他在灌木丛里出没，在地上爬行，还能贴在墙上！”

纸箱里的老鼠们吓得发抖，可是猫侦探依然神色如常。

“变形妖？有意思！你说的那个怪物不就是报纸上说的吗？”

贼仔开始挠头：“是这样！报纸上已经登了他的事了，可你还在这儿**袖手旁观**。而我正濒临险境、如坠深渊。万一我有什么不测，会把整个动物城都毁掉的！”

“你干什么蠢事了，他为什么在后面追你？”

“我是嫉妒你，也想做点善事。”贼仔的话听起来还算坦诚，“我跟你说一下这件事的来龙去脉。昨天夜里我在林中散步，走着走着突然听到可怕的声音。”

“可能是蚊子吧，你以为是变形妖？”

“你才是蚊子呢！搞不明白是什么怪物，叫声不像变形妖，而像那只爱哭叫的小老鼠皮包奇卡的声音。”

“皮包奇卡是一只聪明的好老鼠。”猫侦探严肃地说。

“哎呀，对不起。这么说，这是一只优秀的老鼠，可

袖手旁观：比喻置身事外，既不过问，也不协助别人。

能具有大智慧，她偷偷地潜入变形妖的老窝。变形妖也可能以为她是一只好老鼠，想把她当作一顿美餐呢。不过，我只是从旁边走过，见义勇为想救她一命而已。你知道我是多么勇敢的吧。我差不多已经战胜妖怪了，当时他看上去是一匹

狼。可是他突然变成了一个巨大的狼蜘蛛，我不得不跑开躲一躲。”

“这是报纸上报道过的，真的有狼蜘蛛存在？”猫侦探问道，“那么我们必须尽快采取措施，否则吓坏了所有的动物，狂欢节就会受到影响。正好问一下，皮包奇卡在哪里？她不是和你一块儿跑的吗？”

大纸箱子的盖子被打开了一点。不过，贼仔往那儿看了一眼后，立即又盖上了。

“问题就出在这里！”贼仔紧张地喊道，“她还留在城堡里，我跑出来了，可是我答应要回去救她。帮帮我，好侦探。我们一起把皮包奇卡从那个坏蛋手里解救出来，顺便揭穿灰狼的真面目，弄清楚他是怎么变成妖怪的。”

短暂的沉默。贼仔看到猫侦探的眼睛闪闪发光后，往后退了两步。

变形妖
就藏在那边的
某个地方
自己的鼻子愿意伸到
哪里就伸到哪里！

“我为什么要相信你的话呢？也许你只是想把我骗到城外，把庆典搞砸，而皮包奇卡在某个偏僻的地方等着你呢？”达芬奇问道。

“不是这么回事！虽然你想出了宏伟的计划，是我想不到的。可这不重要！我把从城堡拿到的地图给你看看，你就什么都明白了！”

贼仔拍了拍自己的口袋，困惑地嘟囔着：“地图跑哪里去了？我好像把地图给弄丢了……或许让妖怪偷走了……洗劫一空啊！”

“猫侦探，救救皮包奇卡吧，我们得可怜可怜她呀！”老鼠们从纸箱里跳出来扑向达芬奇。

“他们是怎么回事，是在偷听我们说话吗？”贼仔大声叫喊着。

“不是，我们在纸箱里开了一个秘密会议。”布布沙说。

“是吗？”球恰十分惊讶，“下一次要提前告诉我，不然我还以为我们是躲着贼仔，而不是认真商量事呢。”

“我们的计划改变了。”猫侦探说，“事不宜迟，我马上开始调查。”

“乌拉！”老鼠们开始手舞足蹈，相互击掌以示庆贺。“我们都想助你一臂之力！”

“当然！没有你们这些好帮手我将一事无成。都听好了，并且要记牢。”

老鼠们竖起耳朵听候指令，而贼仔却高兴不起来。

“现在，我先解决这个神秘妖怪的问题，节日活动也必须准备得完美无瑕，诸位要完成我的嘱托。如果我过两个小时回不来，你们需要接待某位客人。这位客人将乘飞毯提前到，为了准备明天的演出。”

老鼠们猜到是谁了，都高兴地频频点头。

“我现在和贼仔一起去城堡。”

贼仔精神为之一振，可是，突然又郁闷了：“我们怎么去呀？我没有地图啊！”

“我们必须找到地图。”猫侦探走出房门，让贼仔拉着手提箱走下台阶，跟在他后面。

“要不把箱子留在屋里吧？”猫侦探问道。

“我不能把它留在这屋里。”贼仔硬撑着说，累得上气不接下气。“箱子里有秘密的东西，不能没人看管。”

“可是，这样我们连十步都走不出去。那可怎么办呀？”猫侦探拿过贼仔的手提箱。“算了，我来帮你好了，谁叫我是举哑铃冠军呢。你应该参加体育锻炼才行。”

“我参加体育锻炼！”贼仔反驳说，“比如，甩爪子和藏猫猫。手提箱我能拎起来，只是有点重了。”

就在刚才猫侦探和老鼠们说话的时候，有谁在屋子的角落里盯着他们。

第三章
蹦蹦游戏室

猫侦探达芬奇和贼仔出发去寻找地图。他们沿着毛蝇滨河大道转到咕咕广场，拐进仓鼠胡同，最后来到公园。一路上贼仔神经兮兮地**左顾右盼**，迈着小碎步往前移动。

“你看那里荒草丛生，我压根没来过。”贼仔边躲避树丛边说，“变形妖可能藏在树丛里。”

“别害怕！变形妖只是在深夜月光下才会变成恶魔，可现在是**光天化日**之下呀！”猫侦探安慰他说，“一般的狼我是能制服的，要知道我可是猫功夫、猫柔道和猫摔跤的冠军。”

“太棒了！”贼仔惊讶不已，“哎呀，这是什么呀？”

他们来到一棵高大的槭树跟前，贼仔绕着这棵树走一圈是一百步。槭树高耸入云，巨大的树冠把天空遮得严严实实，以至于周围的草木见不到一丝阳光。在槭树的中间有一扇富丽堂皇的大门。门前装有美轮美奂的楼梯和护栏。门楣上晃晃悠悠地挂着一块匾额：松鼠图书馆。

左顾右盼： 向左右两边看。

光天化日： 原指太平盛世，后比喻大家看得非常清楚的场合。

松鼠图书馆
如果
本人在家，
每天开馆
两个小时
你把书还给图书馆了吗？
噢——唉——唉！
读书让你更加聪明！

从里面传出用大锤砸家具的咣当声。

“给你，拿住。”猫侦探把箱子扔给贼仔，然后沿着楼梯迅速向上走，打开一扇圆形门。

图书馆出现在眼前，一排排精雕细刻的书架排列有序，上面摆放着大部头的图书。一张橡木大书桌摆放在中间，灯光照亮了周围的空间。松鼠布拉卡惊恐万分地喊叫着从门旁冲过来：“救命啊！”

猫侦探一头钻入树洞，惊讶地看见布拉卡飞到墙壁上。想要站起身来时，她的

爪子奇怪地弯曲了，爪子甩向天花板，碰在吊灯上，又伸向书橱。布拉卡想抓住书柜隔板，但是没能如愿，反倒离开了书柜，飞向敞开的窗户。

猫侦探迎头冲上去，可是布拉卡从他旁边一闪而过，碰碎了窗台上的花瓶。不过猫侦探还是抓住了她的尾巴，一下把她拉回来，不然的话可能就跌到花园里去了。

“别害怕，我拉住你了。你可以相信我，要知道，我天才的一生中，还从未失手过呢。”猫侦探抱住松鼠，把她举起来。她的两个后爪子抽搐着，好像和一个无形的对手在打拳击。

“爪子不听我使唤了！啊——啊——啊！”

“安静，安静！别说话！”猫侦探安慰她。

松鼠很听话，便不出声了。爪子悬挂着，只有眼睛惊恐地左顾右盼。

猫侦探也不出声了。就这样过了一会儿。

“听我说，布拉卡。我现在把你放到椅子上，让我们好好想一想，究竟发生了什么事。”

他侧身走到椅子旁边，小心翼翼地把松鼠安顿好。

周围的一切杂乱无章。书籍扔得到处都是，有几个书柜隔板已经破烂不堪，窗帘架已经掉下来，扯破的窗帘在窗户上飘荡着。

布拉卡可怜兮兮地嘟囔着：“我的行动都反过来了——我想往前跳，可总是往后跳。我想往这边走，但就往另一边走！”

猫侦探仔细看了看她的爪子，没发现什么异常。

“嗯，真是太莫名其妙了。这怕是湿敷或者贴点膏药什么的都解决不了。来，我们这样试试。你感觉怎么样了？”

“我觉得自己绝对正常。”布拉卡向他保证，“爪子不疼，甚至连发痒的感觉都没有。”

“那你有这种症状很久了吗？”

“昨天晚上还一切正常呢。白天和往常一样，我的读者很多。他们借了三套《猫侦探达芬奇历险记》《没滋没味和不健康的食品》《笑话集》，有关鱼类的百科全书《怎样避开钓钩》《蛤蟆菌手册》，从第一窝蚂蚁讲起的《蚂蚁窝历史》……还有一些期刊……哎哟，我记不清了，要看看再说，一切都记录在案。”

“说正事。”猫侦探要求她，“优秀的松鼠都应该是尾巴长，话语短。”

布拉卡缓过神来：“对了！我尽量长话短说。”

可是，她又开始喋喋不休，以至于猫侦探费了很大力气才听懂她说的是什么。

“后来在入夜之前我把花鼠都赶跑了。这些讨厌的读者，想起来都恶心。我这是说什么呢？噢，我想起来了，直到深夜我才离开图书馆，没听见有谁进图书馆。我正准备梳理一下耳朵毛，突然觉得有什么软乎乎的东西落到我头上。我抽搐了一下，突然觉得爪子不听使唤了。我从这面墙跳到那面墙，跳来跳去怎么也停不下来。这一夜恐怖极了！我差一点儿把尾巴弄断了，搞得**遍体鳞伤**！直到快天亮的时候我才停下来，挂在吊灯上，休息了几个钟头后又开始跳，一直到你来了。”

布拉卡讲述这些的时候，贼仔把手提箱扔进了门口，随后也跑了进来。

遍体鳞伤： 浑身受伤，伤痕像鱼鳞一样密。形容受伤很重。

“这不是图书馆，这是一间蹦蹦游戏室。”他扫了一眼满目狼藉的景象，不满地嘟囔了一句。

“这个坏蛋在这里干什么？你来干什么？”布拉卡喊道，她本想一走了之，但是跑得太急，撞翻了圈椅，自己也摔倒在地上，还碰了一下贼仔，贼仔顺势跳到书架的隔板上去了。

“这是我的副手。”猫侦探说，“当然了，是临时的。我们在寻找坏蛋的时候，跟他这样干过坏事的家伙探讨一下，也不错嘛！”

猫侦探把圈椅扶起来，又把布拉卡放在上面。

“我知道她得的什么病！”贼仔从隔板上跳下来，倒在一堆书里。“她是在夜里被变形妖咬了！”

“哎哟，变形妖啊？我在夜里听到可疑的嚎叫声。但是我想，在我们城里不可能遇见变形妖！”布拉卡吓坏了，“太倒霉了！我那可怜的爪子呀！如果他再到这里来，我还能跑得了吗？”

贼仔从书堆里钻出来，为以防万一，使劲地往前爬远点儿。

“安静！我们正好在办这个案子。”猫侦探说，“当你试图往前跳时，发生了什么事情？”

“我往后飞，一直钻进墙缝里。”

“明白了。暂时我们还没弄清楚你为什么往后跳，试试往后跳一跳。”

布拉卡斜眼看了看圈椅。

“哎呀，我怎么往后跳呀，我这不是坐在圈椅上吗？”

“好吧，如果你说的真是那么回事儿，你往后跳时爪子会往前伸。你跳一下试一试！”

“明白了！”

布拉卡竖起耳朵，集中精力，尽可能往后跳，不过，连她自己都困惑不解的是，她从圈椅里跳到前面去了。

“乌拉！成功了！”布拉卡惊叫着，高兴得想要跳起来，没料到啪叽摔在地上，来了个狗啃泥。

猫侦探帮助她站起来：“这么说现在为了跳到门跟前，你必须往后跳。”

布拉卡又憋足劲儿，终于跳到了门跟前。

“谢谢达芬奇！你太聪明了！让我望尘莫及！”

“这是小菜一碟。”猫侦探达芬奇得意地一笑，“不过为了破这个案子，我需要一张城市周边的地图，你手里有没有？”

“我有各种地图，不过都被撕得破烂不堪了。”

“这是怎么搞的？”

“怎么跟你说呢？花鼠们干的呗，他们是一些可怕的读者。他们来了，不只读书，而且还吃书。我现在就拿给你看看。”

“不用了！你别做多余的动作了。”贼仔反对起来，同时用一本书盖住脑袋，“告诉我在什么地方，我们自己去拿。”

“就在那里。”布拉卡想都没想，抬起爪子，可是打到自己鼻子上。

“你就说一下吧。”

“在书柜的隔板上。就是说现在已经在书柜底下了，就在那里，往左一点，对啦，对啦！”

猫侦探拿起破损的地图，仔细审视上面画的正方形和三角形符号。

“对了，”布拉卡点了点头，“很可惜，地图是狗熊绘制的，大家都知道，狗熊笨得要死。正方形表示房子，三角形表示树。上面都写着呢，叫‘象征符号’。”

“拿过来，我来看一下这张图。”贼仔说，“我全都明白了，破损的地方就是城堡的位置。”

猫侦探挠了挠自己的头顶。

“布拉卡，你确信地图是花鼠他们弄坏的吗？”

“那还能有谁呢！我对他们说，我们这里不是食堂，是图书馆，可是他们仍在角落里啃东西。我说‘滚出去！’而他们却大喊大叫，说他们什么也没吃！气得我去拿扫帚。等我回来时花鼠们已经跑得无影无踪，地板上散落着地图，全都咬坏了，无一幸免。”

“可是花鼠并不吃纸张呀。”贼仔说，“我与一只花鼠很熟，他绝对只吃纸板。”

“有教养的花鼠以吃果仁为生，没有教养的花鼠才在图书馆里大声喧哗，见到什么啃什么。”

“这也太巧了。在夜里，当变形妖袭击城市时，你那些带城堡标志的地图不见了。”猫侦探说。

贼仔用爪子敲着自己的脑门儿：“现在可怎么办呢？我们怎么找到城堡呀？皮包奇卡可怎么办呢？”

“那你，贼仔，是在什么地方拿到地图的？”

贼仔做了个样子，佯装要收拾散乱的图书。他受不了被注视的目光，于是含糊其词地说：“在历史博物馆里偶然找到的，现在那里已经没有了……不要用这种眼神盯着我！我翘起尾巴发誓，是无意中偶然扯出来的，但是我一定要把地图找回来，一旦找到便放回原地。”贼仔保证。

猫侦探突然高兴地跳起来：“我想到好主意了！我们乘气球在空中飞行，很快就能找到城堡。气球在椋鸟真尼那里，他正好要准备气球参加狂欢节，我想真尼会把气球借给我们用一用的。”

“太好了，我可以和你们一起去吗？”布拉卡问。

“首先，你得把爪子的毛病治好。”猫侦探说，同时拿起皮包和贼仔一块儿出了门。

外面阳光更耀眼了，这时贼仔脑子里冒出一个念头：太阳这么炙热，放一桶水都能烧开吧。

没等他们离开图书馆，贼仔便听到奇怪的“嘎吱嘎吱”的响声。

“小心！”贼仔推开猫侦探，猫侦探便倒在草地上了。

“咔嚓！”在猫侦探达芬奇刚刚站过的地方，落下一根弯曲的树枝，差一点砸到贼仔的身上。

猫侦探跳起来，刚刚发生的事让他有点儿发懵。贼仔夹着尾巴站在那里，恐惧地眨着眼睛。他们没有注意到，在大树的上边，树枝中间，藏着一个不知道是什么的动物。

猫侦探和贼仔回过神来，他们才开始查看树枝那里是怎么回事。

“树枝是被锯下来的。”猫侦探得出结论，“看到齐刷刷的切口了吗？”

“这都是变形妖干的事！他在跟踪我们，可能化身一把会飞的锯子，锯断了一根树枝。”贼仔恶狠狠地说，同样用恶狠狠的眼神对着猫侦探，以至于猫侦探浑身的毛都竖起来了。“他很快就会把我们全吃掉！”

那里是什么东西？
哈——哈！
我在写诗！
一片黑暗！
我正在做现场报道！

第四章
四面受敌

椋鸟真尼的家最近发生了很大的变化：以前是五层的木笼，有圆形的小窗户，透过窗户能看见室内的小横梁，还有同样是圆形的小门。不过真尼要把这个住宅尽可能搞得富丽堂皇，他亲手用金色油漆刷了屋顶，把窗框镶满人造宝石。

为了到达他家，达芬奇和贼仔必须爬过一个大山丘。

贼仔喘了一口气后，惊奇地打了个嗝：“这都是什么事？松鼠有个大图书馆，椋鸟有个大型的鸟巢，猫头鹰有个豪华树宅，而我呢，只有一个可怜的林中小窝，周围毒菌遍地。总的来说，真是太不公平了！”

突然一群小鸡跑来跑去。他们沿着绳子从屋顶上爬下来，踩着窗子旁边的风筝滑翔，还不停地用相机“咔嚓咔嚓”地拍照。记者母鸡苦大哈一边用脚敲门，一边喊着什么。

“这是《母鸡真理报》的记者，”猫侦探抓住一只踮着脚从他身旁跑过的小鸡的翅膀问，“出什么事了？”

“发动进攻了！”

“攻击谁呀？”

“这我也没弄明白！要么是谁攻击真尼，要么是真尼攻击谁……不管怎么说，就是出了个大事件！”

从门里传出凄惨的叫声：“谁也不能放走！这是参赛者们在耍阴谋诡计。你们大家都一样，谁也别离开！”

“这是谁在说话呀？”贼仔问。

苦大哈往周围看了看，神经兮兮地晃了晃尾巴。

“不知道谁藏在那里，但肯定不是真尼，我熟悉他的美妙声音。”苦大哈小声说，突然爪子一挥，用尖嘴把门撞开。“快放出我们的椋鸟，不然我就把墙壁撞个大窟窿，然后把你们撞伤，不论是谁都不例外！”

“我不能开门！”从里面传出声音。

贼仔抓住猫侦探的爪子：“听见了吗？这就是变形妖！”

门开了一道缝，门缝里露出一只眼睛盯着贼仔。接着，真尼的脑袋从门缝里伸出来。

“变形妖在哪里呀？什么样的变形妖啊？”真尼用沙哑的声音问。

苦大哈躲开了真尼，小鸡们样子怪怪地站在那里一动不动。

“你就是变形妖！”贼仔喊道。

“啊！”苦大哈边叫边逃走了，“特大新闻！椋鸟真尼竟然变成了变形妖。快回编辑部！我们需要出特刊，印数增加两倍。”

记者们像一阵风一样聚拢过来。

“胡说八道什么？叫我变形妖？我不吱声，并不能说明我对你们的污蔑**无动于衷**。我是一位明星！你们都欺负我，把我洗劫一空……”真尼咳嗽着，掐着自己的喉咙，说不出话来，“水！”

猫侦探把手提箱放在门槛上，冲进屋。

真尼在等待给他送水这工夫，假装晕倒在地毯上，张开翅膀，用一只眼睛偷看。贼仔也跑到屋里，随手把门带上，但是忘记了门外的手提箱。他想把真尼扶起来，但是，让他感到吃惊的是真尼突然变得很重，竟从他的爪子里滑落下去。

喝下水后，真尼的眩晕立刻就好了。他推开贼仔，用翅膀端着杯子：“咳，咳！谢谢。”

贼仔哼了一声，朝墙那边走过去，气哼哼地看着周围。

过去贼仔认为动物城最富有的居民是猫头鹰，但是椋

无动于衷：心里一点儿也没有触动。指对应该关心、注意的事情毫不关心，置之不理。

鸟的宅邸看起来更富贵，更时髦。从里面看像一个长方形的盒子，与一幢富丽堂皇的豪宅毫无二致。天棚下一条细长的铁链吊着一个黄金打造的秋千，周围布满鲜花。墙壁上不同高度错落有致地插着木橛，木橛上装有家具。在一个木橛上放着一个雕花的圈椅，在另一个木橛上放着一张大床，垂挂着红色的幔帐。在第三根木橛上是带金色柱脚的浴缸。椋鸟家的地板上摆满了各种乐器，还有漂亮的钢琴，麦克风的支架，中间是拖在地上的电线。墙壁上贴满了五颜六色的椋鸟演出海报。海报上所有的空地方满是用各种颜色的笔写下的字迹，这是每位客人的签名留念。还有一些从旧报纸上剪贴下来的照片，上面是椋鸟真尼和刺猬阿加西、松鼠布拉卡以及猫头鹰乌古哈一起拍的照片，上面的题词是：本市最优秀的动物。

真尼喝了一口水，让猫侦探帮他勉强走到秋千前，把头往后一仰，躺在一堆镶花边的靠垫上。

“猫侦探，你必须找到偷走我美妙嗓音的那个坏蛋。”真尼吱吱叫了几声，“你不能这样扔下我不管！这些可恶的参赛者，他们把什么东西套在我的脑袋上，我的声音就哑了。他们还企图剥夺我的乐感，让我只能像狼一样嚎叫。”

猫侦探和贼仔交换了一下眼神。贼仔意味深长地扬起眉毛，猫侦探自顾自地琢磨变形妖的事。

“说一说吧。”达芬奇说。

真尼激动地叫道：“哎呀，这简直太恐怖了！昨天我和刺猬阿加西讨论节日的安排，我给他看了气球，我们一直聊到夜里三点钟。后来我们吵起来了，刺猬就跑回家去了，我跟他说了一些临别赠言。这是一个美妙的夜晚，月光透过树枝，河水泛起银光，微风送暖，吹动野草沙沙作响……”

贼仔转动着眼睛：“你的嗓音被偷走了，可是换来了你的喋喋不休，你成了话痨了？”

“啊，是啊！”真尼突然想起来，“不过这非常重要。眼前的美景的确赏心悦目，让我一下子把吵架的事忘在脑后了，就决定在黎明前吊一吊嗓子。”

“突然有谁从我身后悄悄地走过

来，往我头上套了一个又脏又臭的口袋。开始我以为是谁在和我开玩笑，可是后来我生气了，非常严肃认真地说：‘别干这种傻事了！我知道是你，刺猬阿加西。’这时令我感到害怕的是，我的嗓子完全失声了，就像蒸汽火车的汽笛，哑了。我拿下口袋，抓着嘴。这时身后响起了树枝断裂声。我朝四周看了看，见到一个巨大的动物，完全不像阿加西，他慌不择路地逃跑了。”

“他说什么没有啊？”贼仔插话说。

“当然说了！我全都记得。他说：‘噢！’，过一会儿是‘唉——唉！’就冲到灌木丛里不见了，灌木丛里传出来沙沙的声音。很幸运，我赶快跑开了，自己都不知道怎么跑回家里的，关上门，吓得我嗷嗷叫，直到那个讨厌的母鸡来了……她一直在那里闲逛。报纸需要新闻，而我没有一天没有意外事件的：不是弄坏了指甲，就是躲避狂热的粉丝，现在又出了这档子事。太恐怖了，不能发声我就没法活，我毕竟是个演员啊！”

贼仔点头表示理解：“你过去是一位演员，现在他们把你咬伤了，于是你变成了一个变形妖……”

“不要用未经证实的事情吓唬真尼！”猫侦探插话说，“事情的确非常复杂，但是我会尽量弄清楚。为办好这件事我需要一个气球。等着瞧，我很快就会找到合理的解释，你的嗓音就会恢复原样，布拉卡也会正常蹦跳，而皮包奇卡将会回到城里去。我猫侦探达芬奇的名号不是白叫的！”

“哎，你呀！”真尼为之感动，“猫侦探，真是好样的。如果我的嗓音得以恢复，我保证要写一首歌曲赞美你。相信不会有哪位天才会拒绝此番美意的。”

“不值一提。”猫侦探谦虚地挥了一下爪子，“尽管没有一个天才会不接受赞歌的。”

“那么气球在哪里呀？你能提供给我们一个气球吗？”贼仔问道。

“当然会给你们的，”真尼说，“只不过让阿加西给弄坏了，我们也是为此吵起来的。不过，幸运的是他答应会全部修好，所以先把气球拖到自己家里去了。而我为了表示关心，建议他刮刮胡子，或者用绷带把刺缠上，以免再刺破气球。”

贼仔气得直哆嗦：“别信他的，猫侦探！气球吊在天上，阿加西怎么能刺破呢？刺猬也不会飞呀。”

“他是不会飞。”真尼吱吱叫着说道，“我和阿加西争论气球是不是结实，能不能载得了我俩。所以我们就跑到屋顶上，又跳到气球上。谁能想到阿加西浑身是刺，他一下子就刺破了气球……你明白我的意思吗？气球带着阿加西在天上飞，后来我花费了好长时间才把他们弄下来——我是说阿加西和气球——如果这一切你们都明白……”

“你说过你们吵嘴了，实际上是你在屋顶把阿加西推到了气球上。”贼仔说，“谁也不要相信他。还有，阿加西怎么能拖动那个巨大的气球，尽管它已经泄气了？”

真尼愤怒地在秋千上欠了欠屁股：“那该谁去拖它呢？我吗？我不行，我的嗓子已经……我给了阿加西一辆小车。”

“这就是说，当你受到攻击时，阿加西就在你身旁。”猫侦探说，“犯罪分子可能跟在阿加西后面跑掉了……”

“这绝对不可能，阿加西那里有什么可偷的呢？”真尼感到吃惊，“他又没有好嗓子，气球又有个窟窿。”

“不知道，”猫侦探说，“不过我们应该马上去看看阿加西。如果他一切都好，我们就把气球拿走。你呢，在调查期间不要单独离家外出，在任何情况下都不要外出。”

“再见。嗨！”贼仔推开门跳到门口。

在门槛上站着一个不认识的动物，披着一件斗篷，遮着整个脸部。这动物的爪子里拿着贼仔的手提箱。

“小偷！”贼仔尖叫一声。

小偷夺门而出，他那个长长的斗篷就像蝙蝠的翅膀一样展开。

猫侦探和贼仔冲出门口。

“可别让他把口袋套在你们的脑袋上啊！”真尼用嘶哑的声音喊着，没等说完最后一个字，他就急忙把门关上了。

追捕行动令他们疲劳不堪。这个动物具有超强的弹跳能力，刚刚还站在房前，刹那间已经跳到山丘下面，后来又跳到路上，再后来又拐弯跳到小河边。如果猫侦探不是月球上的赛跑冠军，善于快速奔跑，还不时地推一下落后的贼仔，那家伙早就跑得无影无踪了。猫侦探用力把贼仔推过去，让他追上了那个动物，拽住他的斗篷打转。

那个动物的体型看起来比贼仔大两倍，力气大概是他的一百倍。差一点儿他就把手提箱砸到贼仔身上了，可是没砸中，因为此时贼仔已经跳到他的肩膀上了。

“呜——呜——呜！”罪犯号叫起来，拿起手提箱，抓住贼仔把他扔到灌木丛里。

贼仔头朝下飞，一头扎到树枝里，弄得周围的树枝咔嚓作响。当猫侦探跑到灌木丛旁时，那个小偷已经逃得无影无踪了。

“就是他，狼！我看见了他藏在帽子下面那张灰秃秃的嘴脸，他偷走了我的宝贝，我的手提箱啊！”贼仔号叫着从灌木丛里跳出来，身上沾满了树叶和细碎的树枝，戳破的鼻子往外流血。

猫侦探抓住贼仔的耳朵，像抖毛巾那样抖他，才把他身上粘的东西抖落掉。

“真走运，现在不是夜里，变形妖不会咬

我们。”猫侦探说，“你箱子里都有什么东西呀？黄金，宝石？他为什么要偷啊？”

“我不想谈这件事。”贼仔沉着脸说，“包里装的都是我的私人物品：日记本、一套糖纸、漂亮的小石头子儿、一团线、两块鱼骨、全家的照片和一双编织的拖鞋。”

“变形妖要你的拖鞋干什么呀？”

“我怎么知道呀？这是变形妖的事。你永远也看不出他脑袋里想什么鬼点子！”

“走吧，我们必须尽快到阿加西那里。”猫侦探催促道，“真希望他一切都好，虽然我的感觉正好相反。”

母鸡真理报

形势越来越紧张！

本报编辑部接连收到关于动物城夜里遭到袭击的消息！受到惊吓的动物们写的信里错误太多，以至于我们的编辑们搞不清楚写的字句是什么意思。

编辑部急需找到一位能人，请他帮助我们读懂难以辨认的笔迹，搞清楚爆料人想表达的意思，弄明白哪些是孩子们的话，分辨出哪些是胡说八道的虚假消息。

热爱你们的记者

母鸡苦大哈

请注意！

请在经过报纸陈列架时，不要损坏报纸！随便涂抹报纸上的字句、在刊登的照片上画胡子是不文明行为！需要的话我们自己会画上去的！

教育讲座

（令人讨厌）

很多读者批评我们报纸，说我们对有教育意义的东西报道得太少，他们要教一教我们这些记者、编辑和经理，给我们办一个教育讲座。这太令人讨厌和气愤！

是的，我们在有教育意义的报道方面可能做得有所欠缺，因此使读者获益甚少。但是，如此评价真让我们颜面全无。

母鸡苦大哈

请自己写一篇文章！

第五章
老树墩

阿加西可能真的出事了，从老远的地方就能感觉到。阿加西的家——老树墩已经被捣毁了，窗户被打破了，屋门也被拆了下来。草坪上散落着气球破裂后留下的碎片，阿加西根本没来得及把它修理好。

贼仔吓得两腿发软："变形妖已经把阿加西家给破坏了！"

"嘘，小点儿声，"猫侦探说，"罪犯可能在里面。"

他们悄悄走近树墩，屏住呼吸，从窗户向屋里看去。

屋内一片寂静，到处都是被打翻的家具，墙纸被撕成一片片、一条条，地板也被划得破烂不堪。

猫侦探走进屋里，贼仔紧紧跟在猫侦探的尾巴后面。

“阿加西！”达芬奇喊道，可是没有回应。“贼仔，注意看着点，罪犯可能在什么地方留下罪证了呢。什么东西都不要碰，别不小心把罪证给毁了！”

贼仔点点头，跳到屋子中间的一张报纸上，以免留下脚印，然后就安静地呆住不动了。

猫侦探开始在屋里查看。他检查了桌子上的茶杯，端起来闻了闻，接着又环视了整间屋子，想看看有什么线索。

“茶已经凉了……”猫侦探说。

"变形妖不喝茶。"贼仔恶狠狠地说，"他吃月光！"

"这一点还没得到证实。"猫侦探竖起耳朵，"我听见地板底下有动静，那里是不是有什么情况？"

猫侦探来到走廊，那里有一个狭窄的楼梯通到地窖。阿加西在里边储藏着晒干的蘑菇、苹果，还有备用的针线，成套的糖纸，以及其他的必需品。

"我在这里等着你。"贼仔嘟嘟囔囔地说，没有要离开原地的意思。

猫侦探下到地窖里，黑暗中他听到喘气的声音。

"阿加西，是你吗？"猫侦探问道，不过心里有点疑惑。

他打开灯，看见地板上有一个像破绒球一样的怪东西，很像从帽子上扯下来的毛线团。这就是阿加西，你看他那鼻子、那眼睛、那爪子，不过他身上的针刺已经变成耷拉着的绒毛，又柔软又蓬松。

猫侦探跑到阿加西身前，扶他站起来。

阿加西浑身变得软乎乎的，像洗碗用的海绵一样。

"你身上的那些针刺去哪了？你干吗这么傻坐着呀？"

"我受到了攻击，"阿加西哆嗦着抱怨说，"我身上的刺都被偷走了！"

"这是动物城里发生的第三起袭击。"猫侦探用爪子扶着阿加西，小声说，"我们到上边去吧，我给你一个枕头、一床被子和一杯茶。你先静一静，然后再把事情的经

有谁在那里吗？
小蘑菇
野果
后门
秘密通道
我受欺负了

过告诉我。”

阿加西哽咽着，同意了猫侦探的建议。他们离开地窖来到屋子里。猫侦探煮了茶，用被子把阿加西包裹起来。这段时间里，贼仔一直站在那张报纸上，双手合十，贴着胸口，愁眉苦脸地看着他们的一举一动。

“能不能快一点呀？”贼仔愁眉苦脸地说道，“我们必须拯救皮包奇卡……”

“皮包奇卡怎么了？”阿加西吓了一跳，“她什么东西被偷了？尾巴还是耳朵？”

“我们暂时还不清楚，不过能猜到一些。”猫侦探说，“告诉我，你是什么时候、被用什么方式攻击的？”

“这件事发生在夜里。”阿加西把头缩到被子里。他沉默了一会儿，在被子里接着说道，“你们知道，最近这段时间，我睡眠不足，夜里经常睡不着。不过，这也不要紧，我可以在月光下修补真尼搞坏的气球。”

“可真尼跟我们说这气球是你弄坏的呀！”贼仔打断他说。

阿加西从被子里探出头来，露出难以置信的表情：“怎么可能？我根本没靠近气球，我身上都是针刺呀。是真尼吹嘘说‘我的气球什么针刺也扎不透’，随后他自己把嘴扎进了气球！后来是我勉强把他拽出来，让他恢复了理智。”

“你拽得不是气球吗？”贼仔疑惑地问道。

“不是气球，是真尼。我把气球拖到这里，开始修补。

这个活可不是开玩笑，多么大的一个窟窿啊！在天亮之前，月亮差不多要消失得无影无踪时，我的线用完了。我就到地窖去拿备用的线，突然有谁把我推倒在地板上，按住我的头，弄得我很疼。我大为恼火，想要张开全身的针刺，可是不知道为什么针刺不听使唤。接着有谁从地窖里跑出去了，就只剩下我自己了。后来墙壁开始震动，从上面传来可怕的断裂声，当时我想我的房子这回完蛋了，就决定把头缩回来不伸出去了。这就是全部经过，再没什么补充的了。”

“想起来都后怕，变形妖到底要从我身上得到什么东西呢……”贼仔嘟嘟囔囔地说，看着自己尾巴上的花结。

阿加西紧紧抓着自己的身体：“没有针刺我可怎么办，那我的一生就完了。”

“总算找到你伤心的理由了。”贼仔嘟囔了一句，“你可以当一个好枕头或者擦地的拖布。”

“谢谢！你头一次发表这样的见解。”阿加西斜着眼睛看着贼仔，“我这个样子还会有谁需要？报纸上的照片都把我抹掉了。”

大家都往报纸上看，贼仔正站在照片上。

“这份报纸没什么特别的，真尼家的墙上也贴着这张报纸。”贼仔用爪子指了一下报纸上的照片，“不过，这是谁用笔画的。”

“这不只是报纸，还是罪证。”猫侦探说，“看看这张照片吧！看清了吗？桌子后面坐着猫头鹰、椋鸟、刺猬和松鼠。三个已经划掉了，猫头鹰则用圆圈圈上了。”

“这代表什么呢？”贼仔问。

猫侦探严肃地扬了扬眉毛：“这就意味着罪犯要袭击的动物都在照片上了。他已经攻击了松鼠、椋鸟和刺猬，剩下的就是猫头鹰乌古哈了。事实已经证明，就是这样！所有的犯罪行为都发生在月光之下。意思是说，如果袭击真是变形妖干的，那么在日出之前他未必能到达猫头鹰家里……虽然，我们对此还不得而知。”

“关于这一点，我也猜不出究竟，虽然我比大多数动物都聪明。”贼仔承认道，“猫侦探，不要觉得自己有多聪明，在我看来也就如此而已。”

“变形妖！这也太可怕了！”阿加西吓坏了，“那我们该怎么办？”

“要找到罪犯！”猫侦探回答，“虽然现在我们没有气球，也不知道城堡在什么地方，但是我们明白，变形妖会去找猫头鹰。”

“可怜的猫头鹰呀！她还不知道已经大祸临头了。”阿加西嘟囔着。

“所以，我们必须立即去找她。”猫侦探边说边向门口走去。

阿加西激动得直打转，浑身柔软的绒毛发出簌簌的响声。

“哎呀！我跟你们一块去，我不想自己单独留在这里。窗户已经破了，门也坏了，想把自己锁在屋里不出去也不行了。”

阿加西对自己的形象感到很难为情，于是撑着一把小伞，迈着小碎步跟在猫侦探和贼仔后面。

学着画一只蝙蝠

鼻子
3
嘴巴和眼睛
4
这是谁呀?
黄鼠吗?
小爪子
这是从城堡
飞出来的蝙蝠
7
尾巴

第六章
猫头鹰的可怕经历

此时，猫头鹰乌古哈完全没有意识到可能到来的袭击。她正在房间里，倒背着翅膀踱来踱去。节日庆典即将开始，乌古哈的注意力完全集中在构思发言稿上。她绞尽脑汁，像热锅上的蚂蚁一样焦躁不安。

她照一下镜子，转了转眼睛，心血来潮地想找一顶华丽的帽子，但是没找到。她灵机一动，把花瓶顶在头上了。这样乌古哈觉得自己看起来更加**雍容华贵**，尽管今天穿的是一条裤子。她用翅膀夹着梳子，假装是麦克风，郑重地开始演讲。

“现在请闻名世界的猫头鹰乌古哈发言！她是老橡树女伯爵、作家、出版商，也是‘金羽笔’荣誉获得者，得奖作品是记述猫侦探达芬奇探案故事的系列小说。”

房门被轻轻地推开了一道缝，但是乌古哈并没有发觉。她全神贯注地演讲，又突然跳到桌子上，郑重地从一端走到另一端。

“亲爱的动物们！”乌古哈假装面对听众说，“哎呀，不，不能这么说。动物们会认为他们比我更重要。应该更简单一些……我很高兴，欢迎诸位光临，共襄盛举。不，这样还是不行。不管了，接下来该说什么呢？评委们高度评价你们的节目，已经选出优胜者……得了，不说了，没什么满意的，我最好是这么说……动物们！当然了，我对你们的演出不抱期望，情况也就是这样了，尽量争取打动评委们吧，或许我们看了你们的平庸表演还没有特别生气。同时我想说，谁也不能让我吃惊，谁也不能让我害怕……”

雍容华贵：形容人仪态高雅从容，庄重大方。也形容服饰华丽锦绣。

这时有谁在乌古哈背后咳嗽了一声。

“啊——啊——啊！”花瓶从乌古哈脑袋上掉下来，“咣当”一声摔碎了。乌古哈惊慌失措，把梳子扔了出去，自己也头朝下栽倒在圈椅里。

“别害怕，是我们。”贼仔喊了一声。

贼仔贴在猫侦探身边，猫侦探浑身的毛竖了起来，一个打着伞的动物站在他俩旁边。

“你们怎么回事，在偷听吗？节日还没有开始呢，我的演讲明天才公之于众。”乌古哈说，然后灵巧地从圈椅里跳出来，钻到桌子底下去了。“我可不想看见贼仔，赶快从我家里滚出去！”

猫侦探弯下腰，对乌古哈说道：“猫头鹰，我们是来执行公务的。说一说你这里发生什么事了。或许，你丢了翅膀，尾巴不翼而飞？或者失去了灵感？”

“我失去的是耐心，我现在已经忍无可忍了。”乌古哈想从桌子底下站起来，不幸碰了头，又“扑通”一声摔倒了。“你们不敲门就闯进来，就是因为你们这样贸然进来，我的花瓶才打碎的。”

“这说明我们来得很及时，还没有谁攻击你。”

“如果不算你们，那倒是没有。”乌古哈同意猫侦探的说法，“如果有谁硬闯进来，我单枪匹马就能把他撕得粉碎。哎呀，难道还有谁想攻击我吗？”

“按照我的推断，想要攻击你的动物自称变形妖。”

阿加西在伞下面打了个喷嚏。

“哎哟，太可怕了！你们干吗把他拉到这里来呀？”乌古哈跳起来大声喊道。

桌子“哐当”一声翻了个底朝天。乌古哈冲向橱柜，拿起一个装蒜的小盆，举起来威胁着要砸过去。

“得了，变形妖，请从伞底下爬出来吧。不然我就用这些东西对付你！”

“你是怎么了，乌古哈？这是阿加西！”猫侦探提起伞，下面原来是软趴趴的刺猬，让大家更为吃惊的是，还有母鸡苦大哈。

“笑一笑，隐藏相机给诸位拍照！”灯光一闪，苦大哈把正在朝她扔小盆的乌古哈拍了下来。

小盆落到贼仔的脑门上，大蒜滚得满地都是。

“顺便说一句，这大蒜对吸血鬼有作用，对变形妖没有用。”苦大哈大声喊叫着跳到一边去了。

“拿这些记者毫无办法。”乌古哈嘟囔一句，“刺猬针刺都被拔光了，现在到我这里来干什么？”

“刺猬正在脱毛。”贼仔撒谎道。

“惊掉下巴的奇闻，刺猬是一团洗碗布！”“咔哒”一声，苦大哈又拍了张照。

阿加西用收起来的雨伞推开照相机。

乌古哈知道没什么危险了，开始把大蒜一个个拣回小盆里。

“变形妖在哪里？你们是在开玩笑吗？”

“根据我之前的推理，变形妖应该很快就会来到这里。”猫侦探有些失落，“我们打算在他袭击你的时候对他实施抓捕。”

小盆子又一次掉到地上。

“变形妖冲我来了？太可怕了！我一直觉得这件事迟

早会发生。但是他攻击不了我，我早就做好准备了！”

乌古哈冲向药柜，往杯子里倒了几滴气味刺鼻的药水。她闻了闻，哆嗦了一下，就一口气把药喝光了。她的双眼刹那间增大了一倍。

“你呀，猫侦探，这么长时间，你都白干了。”乌古哈眨巴了一下眼睛说，“这种坏蛋你能赤手空拳去抓吗？应该由专业的猎手来捉拿变形妖。”

“没有比这个更简单的了。”猫侦探搓了搓爪子，“我已经知道向谁求助了。”

他取出一张纸，写了一些东西后交给了苦大哈：“尊敬的苦大哈，能把这个便条交给我的老鼠朋友们吗？”

“为此我能得到什么好处吗？”

“你可以优先采访本事件的所有当事者。”

“难道除了我还会有其他采访者吗？”苦大哈表示怀疑。

“当然，大家都想采访猫侦探达芬奇。”

贼仔和阿加西都点头表示同意，好像自己也是记者似的。苦大哈听后匆匆离去。

在猫侦探和苦大哈谈话的时候，乌古哈找了一个旅行袋，把见到的东西都收拾起来装进袋子里。然后跑到屏风后面，换下裤子和袜子，戴上帽子和眼镜，贴了个假胡子跳出来，身上穿了一件长袍，脚上穿着一双胶靴。现在乌古哈的样子非常滑稽。

“看看我像谁呀？可以把我当作一个过客吗？”

“可以把你看成有点精神失常的猫头鹰。”贼仔撇嘴表示厌恶。

“这帮不学无术的动物们！拿你们如何是好呢？”

乌古哈扔下帽子，拿起旅行袋，郑重其事地往门口走去。

“站住！”贼仔跳到乌古哈跟前说。

“走开，我有急事！”乌古哈非常生气，“如果你珍惜自己的皮毛，那就别拦着。我知道那个丑八怪的软肋，我现在着急开车离开。再见！”

“等等，”猫侦探说，“变形妖劫持了皮包奇卡，如果我们找不到他，就拯救不了这只可怜的小老鼠。这件事只有你能帮上忙。不用害怕，有我，猫侦探达芬奇与你生死与共，任何不测我都能化险为夷。不能让变形妖再危害其他动物了。另外，这些事你可以写一本新书啊！”

乌古哈想了想后，把旅行袋放下了。

“好吧，猫侦探，你成功说服了我。”乌古哈同意留下作为诱饵，“不过，一旦我遭遇不测，那可全是你的错！我再也不会写颂扬你的新书了。”

“把你知道的一切都告诉我们。”

“不，不，不要问我。”乌古哈扇动着翅膀，假胡子也掉下来了，“这个故事太可怕了，大白天讲这件事不太合适。”

乌古哈拉上窗帘，把桌子放回原处，点上蜡烛。她的眼睛发亮，反射着烛光。

动物们都坐到沙发上，一声不吭地等待着。阿加西有些害怕，闭上了眼睛。

“很多年以前，我不说是多少年，我破壳而出了。”

贼仔有些坐立不安。

“当我稍微长大以后，决定给自己造一个小窝。当然了，不是用树枝，我不是乌鸦！我的窝要用大理石、红木和贵重的金属建造，看起来要像塔楼、宫殿，至少也要像一座城堡。”

“要宏伟壮观。”贼仔表示同意。

“所以我就决定去图书馆找一本书，书名叫作《什么都不用，万丈高楼就能平地而起》，但是这本书没找到。不过，一张画着城堡的秘密地图进入我的视线。这座城堡位于我们城市的南边，在黑森林后面。我想，这下大功告成了。这回再也不用自己费劲了，只管住进去就行。直到入夜时分，我才飞到森林边缘地带，在黑暗中转了很久。我大失所望，以为这张地图是假的，不足为信。就在这时，我眼前一亮，漆黑的天空下出现了一座更黑更暗的城堡。”

月光下的塔楼
乌古哈的新王冠
坚固的石头
塑料
黏土
泥土
救命啊！
我把这里都毁坏了！

“难以置信！”贼仔说，“我承认我是没见过。”

“别插嘴！我当时欣喜若狂，一点点靠近城堡。这座建筑已经很老旧，早被遗弃了。这很容易判断：小径没铺沙子，到处是疯长的荨麻。”

“然后呢？你遇到变形妖了吗？”贼仔忍不住问。

“别催我，我脑子里都是一团乱麻了！这不，我开了门，突然听到从城堡深处传出可怕的吼叫声。一束束强烈的目光聚集在我身上，一个奇丑无比的庞然大物向我猛扑过来，这家伙身上长了许多眼睛和可怕的肉瘤。他摆动前肢，啪啪地打在墙上。城堡开始颤抖，顿时碎成瓦砾。地震席卷大地，大树被连根拔起，树根朝天。他的吼声把我掀翻，之后的事我就不记得了。我一直到早晨才苏醒过来，发现自己坐在离那里几公里远的沼泽地里。从那时起我学会了脑袋转两圈，并且学会了飞翔，而且再也没忘记过。”

“你不是在撒谎吧？”贼仔问。

“我用自己的耳朵发誓！”乌古哈喊道。

她的脑袋圆溜溜的，根本看不见耳朵。

“现在我相信了。”贼仔放心了。

“可是，据贼仔讲，变形妖要比你说的小很多呀。”猫侦探说。

“这可是大问题！”乌古哈全身的羽毛都张开来了，“这都过去多少年了！沼泽已经干枯，土地已经板结，变形妖也会变小。”

“城堡的一部分还完好无损，可你不是说它全部被摧毁了吗？”

“这也可以理解。”乌古哈说道，“变形妖也得有个住处安身呀，所以就用小石块重建了这个住处。”

“可为什么那里树木生长正常，没有树根朝天呢？”

乌古哈气得噘着嘴说：“我承认我没法做出解释！我有什么错？这是变形妖的问题，你们问他去好了。可能他会再次发威，大吼大叫。树木会再次翻过来，树根又会朝天。

可能性多着呢！他是变形妖啊，他会让一切回归正常吗？”

“那以后怎么样了？”阿加西轻声问道。

“哦！”乌古哈做出痛苦的样子，“我受的折磨可怕至极！三天三夜才回到家里。不吃，不睡，好像连气都不喘了。一路上由于害怕不停地打嗝儿。这可怕的记忆到现在还让我脊背发凉。我跑回城里，发誓今后永不离家。不过我深知变形妖早晚会来算计我的。”

“猫头鹰，原来我认为你是一个冷酷无情的家伙。听过你的遭遇之后，我可是对你刮目相看了。”贼仔说出心里话。

贼仔的这句话令乌古哈喜不自禁，揉搓起翅膀来。

“你以为这就是一切吗？大错特错！在我的一生中经历过许多凶险的劫难，鬼魂出没的城堡不足挂齿。城郊那个大宅夜里咕咕嘎嘎响个不停，周围的一切灰秃秃的，像蒙上了一层灰尘，每天夜里都传出呻吟和叫喊声。一个白色的透明物体登上屋顶，用空洞的大眼睛眺望远方。有一次我进去……”

轰隆隆！突然传来了巨大的敲门声。贼仔吓得从沙发上栽了下去。

“哎呀！他已经到这里了！变形妖！”乌古哈惊慌失措钻到了地毯底下，“快藏起来呀！”

但是猫侦探果断地打开门，大家立刻看到……

把同一个颜色的点连成线，你会看到阿加西、乌古哈和贼仔是怎样描绘变形妖的。

第七章
魔法专家

一只奇怪的动物在窥视着树宅。他呲着大板牙，瞪着两只金鱼眼，头上戴着尖顶帽子，披着一件绣着星星的斗篷。

屋里只剩孤孤单单的猫侦探达芬奇。阿加西和贼仔由于刚刚受到惊吓，各自寻找藏身之地去了。

“你好。”来客上牙打着下牙，喊了一声。

“这是谁，海狸吗？”贼仔从柜橱里探出头问道。

“这是我们的海外朋友海狸菲尔德！”

猫侦探达芬奇的几个助手——快乐的小老鼠们从海狸身后跳出来喊道。

“你好，朋友。”猫侦探握着来客的爪子说，“好了，猫头鹰，认识一下吧。现在我们有了能解开所有谜团的专家了。”

乌古哈从地毯下爬出来。

“是的！你们找到了一位可信赖的朋友，真是时来运转啊。我是带证上岗的魔法师。”菲尔德从兜里掏出一张纸，在猫侦探面前展开。“这是带雷萨山公章的证书、使用魔球的许可证、参加骑扫帚赛跑的证明、身上无跳蚤证明、给妈妈的信、未交税的罚单……哎呀，这几个不是。我可

魔鬼妖怪都害怕，
手指一动全趴下。
蚊子马蝇加跳蚤，
伟大魔法制服它。
手指一动蒸汽发，
天空乌云黑压压。
呼风唤雨就是他，
雨过天晴草发芽。
你们那里有牙膏吗？
那我去你那里吧！
我需要刷子
或者三角锉！
我爱大家！
大洋海狸指南针，
轮船航行它指引。
还有海狸风向标，
风吹方向全知晓。
任你召唤已故人，
不怕他已是亡魂。
呼唤让你心情悦，
还有痛苦和悲吟。

以把变形妖、幽灵、妖魔鬼怪召唤出来，让他们哈哈大笑，声音像电梯一样能升能降，能高能低。这种行为的代价很高，效果很差。哎呀，我搞混了，正好相反！”

“别自吹自擂了，”贼仔跺了一下爪子说，“变形妖要来，那是不请自来，不用召唤。我们有一个诱饵，可是不知道怎么逮住他。你能抓住变形妖，还不被他咬吗？”

海狸有些无精打采：“哦，这太难做到了。叫变形妖出来是一回事，而要逮住他则完全是另外一回事。”

海狸把文件揉作一团，然后扔到垃圾桶里。他斗篷上的星星一闪一闪。

“你怎么样？能胜任吗？”猫侦探感到惊讶，“你可是伟大的魔法师啊！”

“当然，**游刃有余**！不过，为了确保万无一失，我要举行一个仪式，给变形妖套上魔圈。这样，在我抓他的时候就没谁能帮他了，而你们到时可以助我一臂之力。你们要保持饱满的精力，不停地主动和他说话，不断岔开话题，闪烁其词，支吾搪塞，让他晕头转向，迷失自我。不过这种方法价格很高，要收两倍、三倍的价钱。你们有没有珍稀树木的木材？”

“有！”乌古哈说道，“我正好保存了一段。”

“给我吧！我们先吃饭，然后再干活。”

乌古哈往地下储藏室走去，不过中途又停下，装出郑重其事的样子说：“先去追变形妖，然后我再给你木材。”

海狸菲尔德一点儿也没表现出失望：“哦，好一个殷勤待客！那我也就不招待各位了。”

海狸从兜里拿出一块木材，放在嘴里很快就嚼碎了。“妙极了，现在听我说，我们已经进入魔幻世界和无形的力量之中。这个夜晚你们会永远铭记在心。”

“与真正的专家共事，非常愉快。”猫侦探高兴地说。

游刃有余： 刀刃运转于骨节空隙中，有回旋的余地。比喻工作熟练，解决问题毫不费事。

“哎呀，太棒了！你的法力无边，我奉你为神明。其实不是那么回事，我是不信奉这一套的，不过贼仔大概对这些感兴趣。”乌古哈说，还高兴地揉搓起翅膀。

“我已经心急如焚了。”贼仔嘟囔着。

乌古哈的房子里寂静无声，大家的目光都集中在大魔法师身上。菲尔德皱着眉头，碎步走到墙边，在那里停住脚步，仔细聆听着什么，用爪子碰了碰墙纸，好像变形妖就在里面似的。

老鼠们交换着眼神。

“从来没见过房子建在树里面。”菲尔德兴奋地用一只爪子拍着墙。“我的弟兄们正在考虑用大树造房子。想不到有这么好的主意，既便宜，又好吃！难道是女主人自己啃的洞吗？”

“你想说什么？我受不了了！”乌古哈感到委屈，“猫侦探，你的魔法师——海狸菲尔德，骂我是蟑螂！”

“那又怎么样？这也是很好的生态食品呀，吃到嘴里都对身体有益。”菲尔德嘿嘿一笑，突然变脸，一本正经地说：“哎，开个玩笑罢了……好了，干正事吧！”

魔法师两爪一拍，当着大家的面，变出一个金属箱。盖子掀开一道缝，从里面冒出一股紫色的烟气，动物们都为之一惊。只见菲尔德从烟雾中取出一支蜡烛、一本厚厚的旧书、粉笔、装有凝聚剂的小瓶子、一袋糖果和一些垃圾。

“现在都不要说话，注意听着！我现在开始……”菲尔德用另一种声音说道，像一只蛤蟆被踩在脚下的惨叫声。

箱子轻轻落在地板上，周围迸出火花，把整个房间染成了金色。

老鼠们佩服得五体投地，发出刺耳的尖叫声。火花在天花板下盘旋，明亮的火光点燃了枝形吊灯。菲尔德低声细语，念念有词。其他动物都伸长了耳朵听，而乌古哈正好相反，把脑袋缩到肩膀里去了。

“我看到了魔法显灵的地方，就在这里！”菲尔德从箱子上面跳过去，来到屋子中央。“我在这里画个圈。如果谁也不尖叫，不从后面往前倒着读书，不把耳朵拍得啪啪响，当微弱的月光透过窗帘射进来的时候，变形妖就会出现在这里。”

“但愿他别咬掉我的尾巴。”贼仔小声说道。

“大家听我说，并且要记住。”菲尔德继续说，“为了把变形妖引出来，需要做许多你们无法理解的事情。不过，你们还是能帮上我一点忙的。”

“我们要施魔法吗？”老鼠们小声问道。

菲尔德扑向箱子，从那里拿出一只沉甸甸的口袋。

“这里面装的都是神奇的魔石。你！”他突然指着贼仔说，“把这些石头按同样间隔摆在房子周围，这样就能保护我们免遭另一种力量的侵害。”

“同样间隔是从什么地方开始算起呀？”贼仔一本正经地问。

“从让你害怕的地方算起，”菲尔德说，好像在解释一件必然要发生的事情一样，“一切都取决于这件事。”

“如果石头摆放得不对，会出什么事呢？”小老鼠皮克问。

“哎呀，这事你最好别知道！”

菲尔德把口袋扔给贼仔，口袋很重，一下子把贼仔压倒在地上。

“猫头鹰！把家里所有的烛台都集中起来，我们现在急需。”

“我没有烛台，怎么办呀？”乌古哈不是开玩笑，而是真的吓坏了。

“我想，普通的小碟子就行吧！”猫侦探达芬奇说。

“普通的小碟子不行！”菲尔德突然生气了，“行了，我已经尽力了，我要离开这里了！我不想和没文化的动物打交道。你把一切都搞砸了，一事无成。”

“难道不能再考虑考虑吗？”乌古哈含糊不清地小声说。

“哎呀，不行，不行……至少你们要找到三角形的小碟子，或者蓝色的小茶杯。”

“这个我也没有！但是我能给茶杯上色，用小锤子敲掉碟子的花边。”

猫侦探用一只爪子捂上眼睛。

“哎呀，只能这样了。”菲尔德又叹了一口气，不情愿地补充说，“好吧，这件事不能让任何人看见，不能让任何东西破坏魔法空间！”

乌古哈跑去储藏室取茶杯、颜料和小锤子。现在就剩下涂颜色和敲掉花边儿了。

“那接下来我们干什么呀？”老鼠们问。

“你们用粉笔在树的周围画个圈，免得变形妖毁坏我的魔法。你，猫侦探，在门上画一个符号，用来召唤变形妖。”

“什么符号啊？”

“当然是月亮！不过你要看准，要画得跟真的一样，丝毫不差。”

菲尔德把粉笔盒扔给猫侦探。

“那我干什么呀？”阿加西惶惶不安，脸色煞白。

“你要被委以重任。”菲尔德看看扔在箱子周围的东西，指着那些揉成一团团的糖纸和吃剩下的东西说，“这是祭祀时留下的东西，你应当把这些垃圾扔到偏僻的地方去，以防还有什么鬼魂随着变形妖再来骚扰我们。”

动物们立即行动起来，执行菲尔德交给他们的任务。

暮色降临，猫侦探出来走到台阶上，用粉笔在门上画了一个月亮。但是画出来的月亮不太平整，因为门板翘着，还有一块大凹陷，所以猫侦探在月亮上画了一座环形山，上面写道：这是月亮。变形妖，进来吧，我们等着你。

老鼠皮克、球恰和布布沙开始围着大树画圆圈，因为各自拿着粉笔画，所以画出三个不同颜色的圆圈。于是他们开始争论，是否应该擦掉两个多余的圆圈。大家争论得脸红脖

乌古哈富丽堂皇
的树宅
最重要的
一根树杈
这是月亮
后门
我画得漂亮
我画得平整
我能直接在草上画

子粗，互不相让，把阿加西的事给忘了，那家伙正到处转来转去找偏僻的地方扔垃圾呢。阿加西由于太紧张，只把吃剩的东西都扔到了灌木丛里，把糖纸放到自己兜里了。

这会儿贼仔在猫侦探身边转来转去，始终没下决心走下台阶。他依然顾虑重重：乌云在树梢上空疾飞，乌鸦在道路上空盘旋，树叶沙沙作响，都是不祥的预兆啊。

终于，他鼓足了勇气，慌张地看了看周围，走到第一个水洼。然后他变得焦虑不安，把那些石子扔到水里就迅速跑回来了。

“喂，怎么样，都放好了吗？”菲尔德用严厉的口气问，一边在地板上画着神秘的符号。

真实情况是这样：动物们都不在屋里的时候，菲尔德一直在偷懒。趁大家都不在，他走遍了所有的房间，吃了几个苹果，洗了个淋浴，在沙发上坐了一会儿，然后才突然想起该干正事了。

“我一切都做得准确无误！”贼仔坐在沙发上喘了口气。

房子焕然一新，地板上画了一个魔圈，配有神秘的符号。旁边，涂成蓝色的茶杯里的蜡烛闪着火光。菲尔德在圈里撒了一些小碟子的碎片。空气中弥漫着玫瑰油和大蒜的味道。

猫侦探达芬奇、刺猬阿加西和老鼠们进了房间。猫头鹰疑心重重地眯着眼睛，把蒜瓣散在墙脚下。

“我的眼睛出了点毛病，怎么看老鼠们都是重影呢？他们一个能变成几个呀？可怕的群族动物！只要放进来一只老鼠，就要赶出去十只。”

第八章
不期而至的来客

猫侦探看了一眼老鼠们，突然发现了小老鼠皮包奇卡。她躲在球恰身后，精神紧张地用爪子抓着一顶针织软帽。

“皮包奇卡！”大家惊讶地喊道，“你总算回来了！”

猫侦探抓起小老鼠，几次把她抛向空中。老鼠们则手舞足蹈，欣喜若狂。

“快离开圆圈！”菲尔德生气了，“你们会破坏场地的。”

猫侦探把小老鼠放到地板上。

“你们到底有几位呀？”皮包奇卡推开动物们，“我还以为只有猫头鹰呢。哎呀，贼仔你也在呀，太高兴了！其他诸位我就不想见了。别盯着我，我不想让你们看我。这又是谁呀？”

菲尔德端起架子来：“我是伟大的魔法师！我能做任何神奇的事，就是把月亮摘下来也不在话下。”

为了证明此言不虚，他把爪子伸到箱子里倒腾一会，接着响起神秘的音乐声。

皮包奇卡惊讶地张着大嘴：“太棒了！这是个神奇的动物。”

欢快的舞蹈

花瓶碎片
神奇的石头
正在消失的石头
敲掉树瘤用的石头
宝石
样品石

找一找具有相同
魔法符号的石头，
然后像这个样品石头
一样用线条连起来。

“皮包奇卡，你没被吃掉啊！”贼仔高兴得眼睛都鼓出来了，一只耳朵竖起来，另外一只耷拉下去，“太好了，我一直都认为像你这样总是哭哭啼啼、以泪洗面的家伙，连狗都不想吃你。”

“谁要吃我？”皮包奇卡紧张地看看周围。

“变形妖啊，还能有谁？”贼仔悄悄地告诉她。

“哎呀，变形妖！”皮包奇卡皱起眉头，“你干吗提这件事呀？难道这很重要吗？”

“你们还在那儿磨蹭什么呀？快点！月亮已经升上树梢了。”菲尔德喊着跑到窗前。

“我是觉得，既然皮包奇卡找到了，就没有必要再去抓谁了。”乌古哈插话说，“嗨，菲尔德，换一个吧，音乐停止了。”

这时候，枝形吊灯熄灭了，圆圈中心闪烁着绿色的火光。房间的各个角落陷入一片昏暗。

老鼠们非常激动，不停地吱吱叫。

“晚了！我们把魔力激活了！”菲尔德喊道，“快点竖起符号牌，否则我们要遭受灭顶之灾。”

“谁会祸害我们？符号牌在哪里呀？”动物们都惊恐不已。

“符号牌嘛……”菲尔德抓起乌古哈身体最宽的地方，就是猫头鹰称之为腰的那个位置，把她举起来，想把她放到一个地方。

就在此时，母鸡苦大哈站在了门口："你们这儿是怎么啦？怎么大喊大叫的？我没有迟到吧？我在报纸上已经登出广告了！城里至少有一半的居民会跑过来。"

"这里已经够乱了！"海狸放下乌古哈，向苦大哈冲过去，"我可受不了你们这些记者。我认识你们，你们把一切秘密都公之于世。如果记者不走，我就走！"

"好吧，我走，虽然我不是很情愿，反正猫侦探会全部都告诉我的。"苦大哈觉得委屈，于是迅速地给魔圈拍了照，然后就离开了。

乌古哈嘟囔着用两只爪子站立起来，动物们都围着魔圈站好了。

皮包奇卡从地板上捡起大蒜，咯吱咯吱地吃了起来，吃了一半，辣得她皱起了眉头。

“你们为什么把没用的东西到处乱扔？你们还打算干什么呀？为什么还点着蜡烛？”

“我们是在召唤变形妖。”布布沙告诉她，“就是要站在那个圆圈周围，然后菲尔德怎么吩咐，我们就怎么做。”

“变形妖吗？真有趣！那好吧，告诉我你们打算怎么做？重要的是你们需要他干什么？”

“我们想逮住他。”猫侦探达芬奇说。

皮包奇卡立刻脸色煞白：“哎呀，不，这可没我的事！我走了。”

突然间，墙壁开始颤抖，屋里烛光开始忽明忽灭。

球恰把皮包奇卡推到圆圈前。“别害怕，你是安全的。菲尔德他们会搞明白的。”

皮包奇卡站在魔法符号旁，像杨树叶子般瑟瑟发抖，小脸上流着两行泪水。

绿色火苗射出冷光，越来越亮，里面还出现了一些奇怪的影子，它们的轮廓模糊不清，不停地跳动。麻醉剂对不同的对象作用不一样：贼仔嗅到后猛烈地打喷嚏；猫头鹰不停地淌眼泪；刺猬则昏昏欲睡；皮克、球恰和布布沙不停地挠痒痒；猫侦探达芬奇晕头转向，觉得过往的一切都虚幻不实。

菲尔德立起最大的魔法符号牌，抬起爪子说：“大家要全神贯注、聚精会神，如果心有杂念必会招来灾祸。你们必须按照我的指示行动，否则……当然，最好是不让你们知道会发生什么。”

母鸡真理报

不许妖怪阅读！
变形妖会破坏节日庆典吗？

离节日庆典剩下不是九个半小时，就是差一刻十个小时。城里还是一片混乱不堪。

狡猾的变形妖袭击了很多动物。如果著名的魔法师海狸菲尔德不把此事摆平，说不定我们还会有麻烦！

他在一个秘密地点施法，届时要抓捕变形妖。但前提是，这个时候变形妖没来抓他。

本消息是在事件发生的地点——猫头鹰乌古哈的树宅现场采访报道的。

母鸡苦大哈

注意，大减价！

买报纸吧，买二送一！

广告

收购损坏的魔法物件！

带窟窿眼的锅，折断的魔法筷子，具有魔法的辟邪物件，损坏的运动鞋，自动提供食物的餐布，低空自动飞行毯和其他哪怕有一点魔力的东西。

伟大的魔法师和术士

海狸菲尔德

广告

急寻需要修理东西的顾客。

详情面谈。

一位不出名的海狸

广告

邀请几位既不怕针扎，也不怕刺痛的勇敢者们！

请到我这里来，我教会你们！

来吧，哪怕有一位也行！

刺猬阿加西

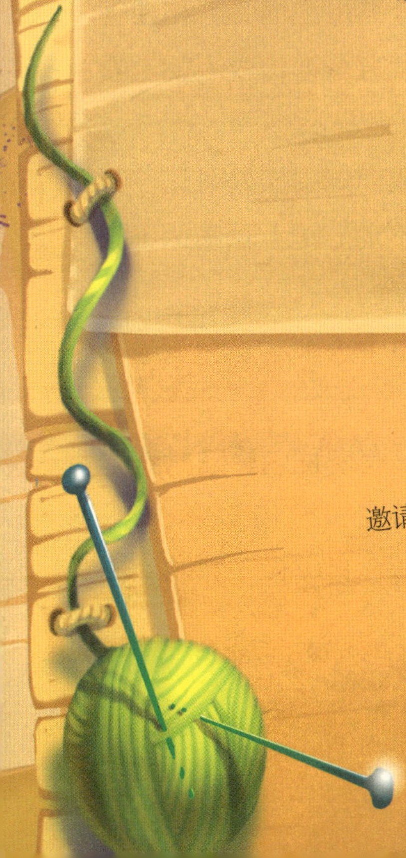

第九章
魔圈

猫头鹰乌古哈的树宅里发生了一件怪事。

蜡烛烧得很旺，蜡油形成神秘的纹样滴落在地板上。站在魔圈周围的动物们感觉到了非同寻常的能量，充满了整个空间。

魔法师海狸菲尔德正在召唤变形妖。

菲尔德醉心于神秘仪式中，正全神贯注地聆听和注视着谁也无法听到、看到的东西。他屏息凝神，双眼朝上看着天花板，爪子周围喷射着火花。

“我看见神奇的魔法！魔力在我们周围随处可见。不论发生什么事，大家都要站在原地不动。闭上眼睛，不要破坏魔圈！我觉得变形妖已经近在咫尺……”

动物们都眯起了眼睛。一片静谧中夹杂着嘁嘁喳喳的话语声，一阵风送来了一声长嚎。

画掉在地上，墙壁震动了一下。有一种刺鼻的气味弥漫开来，猫侦探担心让恶臭给熏晕过去。

“现身吧！现身吧，变形妖！我在召唤你。”菲尔德用尖厉的声音呼叫着。

皮克首先吓得小声哭起来。

魔法
魔力
妖术
咒语
刺鼻的气味
我害怕！
什么味道啊？
累了，睡着了！

“他就在身旁！”菲尔德歇斯底里地惨叫一声，“你们在任何情况下都别睁开眼睛，否则，变形妖会扑向你。你们要给他提问题，说话可以使他耗尽力气，下面的事就由我来办了。噢！他出现了！”

听到了轰鸣声和压低的嘶哑声音。

“喂，一切正常吗？”猫侦探闭着眼睛问。

菲尔德没有回答。吹来一股冷风，这风在魔圈里打旋儿。

“海狸菲尔德！你怎么了？你为什么不回答呀？”乌古哈哭诉起来。

这时动物们听到了轻微的号叫声，好像变形妖是一个很小的东西一样。

“呜——呜——呜！我是变形妖，你们叫我干什么呀？你们这些傻瓜动物们！”

“哎呀，他在这里！”球恰发出尖叫，“我害怕！怎么办呀？”

“你们倒是说话呀！”菲尔德压低嗓音怪怪地说。

“你为什么对我一点儿都不友好？”贼仔尖叫一声，马上坐下来以防万一。

“呜——呜——呜！我睡觉时发现在与你友好相处……”惊悚的声音能穿透贼仔的脊背。

乌古哈吸了一口气，以便有力气向他提出问题。她已经长时间在那吸气，肚子已经鼓得像个皮球了。

“你为什么要抓我呀？”乌古哈说完“扑通”一声跌倒了。

“呜——呜——呜！又提这事！像你这样讨厌的家伙，我还不想捉呢……”变形妖喊了一嗓子。

猫侦探想问话，但是臭味呛得他喘不过气来，他勉强用爪子支撑站立着。

这时响起来敲门声，乌古哈哎哟叫了一声：“我有些不舒服。我觉得很压抑……头顶发麻……海狸，我能睁开眼睛吗？”

“不能！”菲尔德用沙哑的声音说，“请提问题吧！”

“谁把我身上的针刺弄坏了？”阿加西皱着眉头支支吾吾地说。

“呜——呜——呜！你的那些针刺只不过是打蔫儿了，应该经常洗一洗呀！”这次说话的声音洪亮，但是刺耳。

“哎呀！唉！唉！”是皮克、球恰和布布沙的声音。

“动物们如何恢复自己的能力呀？”猫侦探用最后的力气问道，同时感到有软绵绵的东西落到自己头上。

猫侦探达芬奇的头晕得很厉害，最后跌倒在地上，失去了知觉。

有什么东西滴在猫侦探身上。他紧皱眉头，觉得有一股冰冷的水流落在头上。

他躺在地板上，睁开一只眼睛，看见前面是椅子的一条腿。有一个遥远的声音传到他的耳朵里，听起来像是谁在喊叫，也可能是哭泣。猫侦探发现树宅的房间里变样了：即将熄灭的蜡烛扔在地板上，魔圈已经残破，家具翻倒在地上，门板的合页脱离，周围堆满了破墙的碎块。强烈刺鼻的气味正在消散。

布布沙站在猫侦探的上方，用一把茶壶往他身上浇水。猫侦探觉得球恰的耳朵变小了一百倍。

“谢谢，我不渴。”猫侦探小声说。

“一个不认识的动物睡醒了！”布布沙抱着茶壶跑开了。

“我这是在哪里呀？”猫侦探坐起来问道。

这时，乌古哈出现在他面前。她气势汹汹地挥舞着一把大汤勺，喊道：“回答我，你是谁，在我的家里干什么？”

阿加西出现在乌古哈身旁，拿着一把叉子，充满敌意地

对着猫侦探。

“猫头鹰，你怎么啦？”达芬奇看到乌古哈的翅膀变得越来越小，越来越透明，便问道。

“变形妖把我咬了，不过这不关你的事。”乌古哈高傲地回答，“总之，对你来说我不是乌古哈，而是乌古哈她妈！”

“变形妖把你咬了？那菲尔德到哪里去了？”

“菲尔德带走了猫侦探达芬奇，其实猫侦探就是变形妖，长着许多爪子，背上有针刺。”球恰伤心地叫了一声，“在魔法生效的时候，猫侦探捆住了菲尔德，还带走了贼仔，赶走了苦大哈，而皮包奇卡只剩下一个蝴蝶结！然后我们的耳朵都不翼而飞了！”

球恰伤心欲绝，痛哭流涕。这时猫侦探才发现皮克和布布沙的耳朵也不见了。

达芬奇惊叫道：“我怎么能带走菲尔德呢，我那时候一直躺在这里睡觉啊！”

“你是没带走他！我们跟你是这样说的：‘菲尔德带走了猫侦探达芬奇。’”

“你们是怎么了，朋友们？猫侦探达芬奇是我呀！你们的眼睛都出了什么问题了吗？”

老鼠们一起尖声尖气地喊道：“不是我们的眼睛出了问题，而是你的脑袋出了问题！你完全不像猫侦探！”

“那我像谁呀？”

“不知道！可能像老虎，或者像黄鼠狼，反正世间的动物多得是。”

猫侦探艰难地站起来，脑袋发晕，摇摇晃晃地走到镜子前面。他在镜子里看到了一个完全陌生的灰白色动物，长着一个干瘪的鼻子。

“这是怎么回事呀！”达芬奇不解地说，碰了一下鼻子。“我也被袭击了！你们都听着，我就是猫侦探达芬奇，千真万确。看来我也是这次袭击的牺牲品。变形妖施法术，把他自己变成了我，我失去了自己的红褐色皮毛和红鼻子。”

“我什么都没弄明白！相信谁好呢？”乌古哈嘟囔道。

“可以相信我呀。我现在立刻证明给你们看，我就是我。”猫侦探笑得那么温和，那么有趣。大家立刻都相信他说的话了。

“这就是我们的猫侦探！我感觉到了。”球恰喊道，“这太好了，这就是你，而变形妖完全是个另类。”

“当然了，这是我。都别瞎琢磨了！我们一定要战胜变形妖，救出朋友们。”

“乌拉！”老鼠们欢呼雀跃。

“为了这件事，我需要去城堡一趟，已经到了采取决定性行动的时刻了。”

“那你怎么才能找到他呢？”

“猫头鹰可以告诉我们路线，你不是去过城堡吗？”

“去过，但是忘记怎么往那里飞了。”乌古哈失望地叹了一口气，“我真不知道怎么帮你，要不给你一张地图吧。”

乌古哈拉开抽屉柜的一个隔板，在里面一阵翻腾。

“你们不许看！这都是我的秘密！”她从里面拿出一张地图，递给了猫侦探，“这是地图，拿着吧。”

“原来地图在你手里呀。”猫侦探神秘地一笑，“哎呀，要是我早点知道就好了……”

“那我们呢？我们也跟你一起去吗？”老鼠们尖声说道。

“你们有一项重要的任务必须完成！帮助阿加西修理好气球，必要的时候乘气球飞过来支援我！”

“这计划太高明了！”动物们大为惊喜。

不一会儿，灰白色的猫侦探从树宅里跳出来。他的鼻子变了颜色，很不起眼。

“我一定找到他！”猫侦探达芬奇保证说，“到时我们大家又都团圆了。”

“接住！”乌古哈扔给他一串钥匙，“这样，我把汽车交给你，开车去吧。”

猫侦探接住钥匙，跳进停在台阶前面的红色小汽车。这台车前盖上有一个猫头鹰的标志，保险杠上装着铁质翅膀。不过这翅膀不能飞，只为美化外观而已。

“祝你成功！”乌古哈喊道。

乌古哈回到树宅，挖空心思回想每一件事的细节。哦，想起来了！她忘记告诉猫侦探汽车的刹车踏板的位置换了，还有方向盘没有固定好。

乌古哈回过身，张开嘴想告诉猫侦探，可是汽车早已在大门外消失得无影无踪了。

第十章
投降吧，灰狼！

在黑暗的城堡废墟中，夜风发出神秘的呼啸声，月亮怯生生地从乌云中窥视。

突然，摇摆的树木静止下来，沙沙作响的野草随着一个奇怪来客的出现也都安静下来。大门口出现了一个灰白色的幽灵般的家伙，他悄悄地向城堡走去。这是猫侦探达芬奇，他已经变得面目全非、肮脏不堪，身上的毛大量脱落。不过他还是那个敢作敢为、才华出众的天才猫侦探达芬奇。

“我再也不会疯狂飙车了。”他嘟囔了一句后再也不出声了，因为他用余光看见有东西在动。

一只灰狼的身影在墙壁附近一闪而过，随即消失在门洞里，那里的门板已经倒在了地上。

“变形妖！他跑到哪里去了？也许他在那里囚禁了贼仔、皮包奇卡和海狸菲尔德？”猫侦探心想，随即跟了过去。

猫侦探来到了城堡的前厅，壁炉里的火苗将熄。他转过头看见大厅尽头有一个宽敞的楼梯，上面有一条灰色的尾巴若隐若现。

猫侦探悄悄地登上楼梯，看见变形妖在一扇富丽堂皇的大门周围转来转去。钥匙“咔哒”响了一声，那条狼旋即消失在视野中。猫侦探急忙追上去，刚刚抓住门把手，门“呼啦”一声关上了。

从门缝里可以看见里面金碧辉煌的空间，高大的窗户镶嵌着彩色玻璃。火把熊熊，映照着金色的地板。大厅中央是精美华丽的宝座，包着红色天鹅绒。这可能是目前唯一还保留着昔日辉煌的大厅。

灰狼伸着爪子跑向宝座。

“喂，动物们！快到这里来！不然就来不及了！”

“别再像吸血鬼一样纠缠不放了，变形妖！”贼仔从宝座底下钻出来，“我不知道你是谁，狼、猫、浣熊或者是黄鼠狼。但是，贼仔不会这样轻而易举地投降！你最好和海狸商量商量。”

贼仔把海狸菲尔德从宝座里推出来。

“我不喜欢谈判。”菲尔德又跑回去，但是贼仔抓住了他的肩膀。

“喂，魔法师，醒醒吧！你怎么打不起精神了？快把变形妖变成癞蛤蟆，把地毯变成飞机，救出我和皮包奇卡！”

“当时我一害怕，咒语便忘得一干二净，到现在我还心惊肉跳呢。”菲尔德吓傻了，结结巴巴地说道。

灰狼跑到宝座前，大声吼叫：“哎，怎么，还等我把你强拉下来吗？”

“完了，我完蛋了。”贼仔绝望地尖叫了一声，向后退了一步。

“你不能随便把谁拉到任何地方去！”猫侦探达芬奇无所畏惧地走进大厅，慷慨激昂地喊道，“投降吧，变形妖！如果你现在不释放我的朋友们，不会有好下场！”

灰狼吓得战战兢兢，往周围看了看：“亏你想得出来，快滚！都从我的城堡滚出去！”

灰狼把爪子伸向贼仔，但是猫侦探立即扑过去，和灰狼一起摔到地板上。他俩在柱子之间滚来滚去，灰狼想咬猫侦探，但是没够着。

“你不了解情况！我不想干什么坏事！”灰狼号叫着，猛地踹了猫侦探一脚，又跳起来，好像爪子上装了弹簧一样。

“别撒谎！”猫侦探达芬奇也跳起来说道，“你偷走了动物们的本能，皮包奇卡只剩下一个蝴蝶结了！”

“啊——啊——啊！”灰狼突然叫起来，伸出来爪子，“回头看！看你背后！”

“别糊弄我！”猫侦探回答。

这时发生了一件谁也没想到的事情，有谁在他背后喘了一口粗气，整个大厅一下子充满了大蒜的气味。猫侦探脖颈上的毛全都竖起来了。

“啊——啊——啊！又是一个变形妖。你们是怎么回事，难道是工厂批量生产的吗？”贼仔喊道。

猫侦探环顾四周，一个意外差点让他惊叫起来：在他面前站着一个动物，这家伙他从来没有见过。如果在其他场合，他会觉得这家伙怪模怪样、荒唐可笑，但此时此刻无论如何他也笑不出来。

这个动物长得和达芬奇的许多朋友都很像。他有着猫鼻子，八个爪子，身上是像松鼠那样的红褐色短毛，背上长着刺猬那样的针刺，还有猫头鹰那样子的紫色翅膀。拉长的脑袋上戴着一顶非常显眼的小帽子，显然是从皮包奇卡头上扯下来的。大概这个可怜的小老鼠再也没什么可戴的了。

“猫侦探，你看见了吧！他才是变形妖，这里没有我什么事！”灰狼大声说。

怪物突然一笑，露出老鼠的小牙。

“猫侦探达芬奇！”他用椋鸟的声音像唱歌一样说道，“那边还有谁，灰狼？”

他边说边挥动翅膀，摆出威胁的架势，结果一下子撞到柱子上，摇晃了几下就可笑地跌倒在地板上。

“我怎么也适应不了这对不会飞的翅膀。你们都在我的城堡里干什么？”

“我来拯救我的朋友们！”猫侦探勇敢地盯着这个怪物的眼睛说道。

“我住在这里，这是我的城堡！”灰狼躲在柱子后面小声补充了一句。

怪物伸长他那鸵鸟式的脖子：“还有谁在那里哼哼唧唧的？曾经是你的，现在是我的。这个地方只属于我、贼仔和魔法师。我要魔法师给我办一件事儿。”

怪物想站起来，可是爪子在抛光的地板上打滑，他“扑通”一声跌倒了。“这是什么破爪子？我怎么也适应不了！八只爪子，只有一个好使！”他大吼一声，翻了个头朝下、脚朝上的跟头。

菲尔德呵呵一笑。

“别嘲笑我！我保证要你为此付出代价，今后你永远也不能走出城堡的高墙。”

“我没有笑，我可以走了吗？”贼仔用最和善的口气问道，“这样对我没有任何好处。我脾气坏的可怕，性格反复无常。你随便问问谁都知道，他们都拿我来吓唬小动物。医生们研究过我的履历，把我称作跳蚤消灭器，把我的照片印在消灭跳蚤的喷雾器上。我欠大家很多钱……顺便问一下，我能向你借一百万吗？”

“从来没有想到坏品质能这么有用。”菲尔德感到吃惊。

“我也需要这样的朋友！”怪物忽然高兴了。

“没用的。”猫侦探说，“贼仔几乎变好了，你呢，变形妖，谁也不会和你‘握爪言欢’。”

“贼仔会和我握爪子的。”怪物信心十足地宣称，“怎么样，你和我交个朋友吗？”

贼仔正兴致勃勃地考虑着什么，对此稍微迟疑了片刻。

“我考虑一下你的建议。”他假装同意地说道，“想好了！如果你能保证珍视我，并且放了我们，我就和你做朋友……”

“不是！这不是我想要的那种友谊。”怪物的眼睛一亮，“你们大家都得为我做事，我怎么说你们就得怎么做！”

“谁都不会服从你。”猫侦探达芬奇插话说，“天快亮了，你的法力即将终结了！”

“哈！”怪物用洪亮的嗓音大笑一声，“你们以为月亮会隐去吗？才不会这样呢！我有个计划。你，海狸菲尔德，你来帮助我。”

怪物抓住菲尔德，跳到窗前，把玻璃一下子打碎了。

“救命啊！”菲尔德狂叫，但是为时已晚。

“等着我，贼仔，我马上回来！否则你的下场会不堪设想。我用自己的针刺发誓！”怪物回身对着动物们说，“而你，海狸，如果你不按我说的那样施出法力，那你就痛苦地懊悔吧！”

怪物拙笨地爬到外边，然后顺着墙往上爬。

这时，灰狼“嗖”的一声跳起来，抓住猫侦探的肩膀用力摇晃：“全都怪你！如果你不介入进来，海狸和小老鼠就都跑了。等约定的那天一到，他就会把小帽子还给我！”

“小帽子？”猫侦探使了好大劲才推开灰狼，“什么小帽子？”

“羊皮帽子，被可耻之徒偷走了。这是我的传家宝！”

“哦，真可怜！帽子被偷了。”贼仔嘟囔了一句。

“这可不是一般的帽子，而是变形神帽！是我祖父留给我的遗物，我祖父是光辉伟大的白狼。”

“你说什么？”猫侦探感到吃惊。

“难道你没听明白？我说的是一顶神帽！”灰狼大喊一声，“我戴上它就能变成一头绵羊，夜里在动物城里悠然漫步。”

“这可太幸福了，能伪装成一头绵羊招摇过市。”贼仔冷冷一笑。

“戴上这顶帽子可以变化自如！想变成什么就变成什么。如果把它里子朝外翻过来，随便给谁戴在头上，他的精神就会传递到帽子里；把帽子再翻过来，戴到自己头上，这些精神气息就会传递到你自己身上。嗨，真棒！”

“问题就在这里呀。”猫侦探惊叹不已，“谁要把帽子扣到我头上，首先我会失去知觉和外貌。不过，如果偷走动物才能的不是你，那这个怪物是谁呢？”

灰狼用严厉的目光看了贼仔一眼：“帽子是被那个不速之客偷走的。”

“快清醒一下吧，灰狼，我不可能当变形妖。变形妖在那里，而不是在这里。”贼仔用一只爪子拍了拍脑门儿。

“我说的根本不是你。我说的是……”

“皮包奇卡！”猫侦探大喊一声。

贼仔惊讶地一屁股坐到地板上。

“她就是一只最无用的老鼠，总是哭哭啼啼，谁见谁嫌弃的家伙。”

“大家看法一致。”猫侦探说，“首先，她突然出现在猫头鹰家里，而且什么也不说。其次，她又突然**销声匿迹**，

销声匿迹：不再公开讲话，不再出头露面，形容隐藏起来或不公开出现。

小帽子呀，
不见了！
我在哪里？
我是谁呀？
谁在看我？
这是一只什么鸟？
一条普通的灰狼

消失得无影无踪……”

贼仔马上接受了这个想法，于是打断了猫侦探的话。

“我想起来了！怪物说话有一股大蒜味，而皮包奇卡吃过大蒜，大蒜味一直没有散去。”

猫侦探点了点头：“这是第三。第四，也是最重要的，她爪子里拿着帽子。在施法术的时候，她大概给大家挨个儿戴了一遍，当时大家都是闭着眼睛站在那里。”

“海狸当时是什么样来着？他的眼睛应该是睁着的呀。”贼仔感到奇怪。

“大概她攻击他的时候动作非常快，海狸来不及采取任何反击行动。或者他也和我的遭遇一样，失去了知觉。”猫侦探说。

“说实话，一开始我还以为你们是串通好的呢。”灰狼承认道，“皮包奇卡偷了帽子交给贼仔，贼仔又把帽子转交给你。而你们一起把帽子藏到手提箱里了。”

“这就是你为什么偷了我的手提箱吧？”贼仔生气了，“我的东西在哪里呢？”

“我把它们扔到灌木丛里了。我不需要别人的东西，我自己那些破烂还没地方放呢。”灰狼极度不安地说。

“可是我不明白，皮包奇卡要帽子有什么用？难道……”贼仔皱着鼻子气呼呼地说，“这都怪我。我说不想和她交朋友，因为她很无趣。现在她偷走了所有动物的才能！灰狼，

第一张画

找出第一张画和第二张画的十个不同之处

第二张画

你说说，该怎么制止皮包奇卡干坏事？”

灰狼耸了耸肩膀：“应该把帽子给她摘下来。不过，我想她不会答应，所以我想等到帽子失去法力的那一天。如果她能成功地把月亮摘到这里来，那她就变成了永久的变形妖了！”

“这不可能。”猫侦探说，“我会尽力把帽子给她摘下来，不过你要助我一臂之力。”

“可以啊！”贼仔同意，“我尽力胡说八道拖住她，你趁这时候从后面把帽子摘下来。”

“你和我想的一样！”猫侦探十分惊喜。

“这也是我的想法。”灰狼接着话茬说，虽然他并没有这么想，“还有，我忘记说最主要的事了。不论发生什么情况，都不要让帽子掉到水里！别沾上唾沫，别沾上汗水，别滴上眼泪，否则我们会有灭顶之灾！”

“什么样的灾难啊？”

“我甚至不敢告诉你们。”

“得了，对我们来说现在最重要的是找到皮包奇卡。”猫侦探说，“要知道，你可是灰狼呀，你能在自己的城堡里找到她吗？”

“我很高兴这样做。”灰狼同意了，“我非常想拿回帽子，恢复我家族的名誉。想让大家都忘记我的……”

噢——噢——
好大的烟囱啊
我差不多到达目的地了！
救命啊！
惨了，没有力气了
落石
什么声音？
声音传过来了！

第十一章
夜间鏖战

这是海狸菲尔德平生最惊心动魄的一刻，他的经历后来足足疯传了一个月！

皮包奇卡抓住海狸后，顺着墙垂直往上爬。一块巨石从皮包奇卡的爪子下面坠落到城堡门前的广场上，蝙蝠吱吱叫着从墙缝中飞出来，瞬间就飞得无影无踪了。墙壁在颤抖，窗户玻璃爆裂，藏在城堡深处的一群鬼魂绝望地号叫着。不过号叫声最大的还是海狸菲尔德，他从来没有感受过这样的恐惧。他被震得晃来晃去，脑袋直往墙上撞，爪子上的短毛都竖立起来，尾巴也耷拉下来。

菲尔德已经辨认不清哪是上哪是下。

皮包奇卡终于登上墙壁。她像扔一麻袋土豆那样，把海狸菲尔德向屋顶中央的小平台扔去。只听“扑通”一声，菲尔德跌倒了，假装失去了知觉。

皮包奇卡喘了口气，开始仰望天空。从这里看起来月亮似乎更大，而且夜色更为壮观。皮包奇卡兴高采烈，夜风吹着她那个赤红的鼻子。她头上长着许多不同颜色的耳朵，风儿呼啸着吹来，红褐色的爪子突然感到屋顶上有一些寒意。

“我很快就会永远变成这个样子了！”皮包奇卡悲伤地嘟囔了一句，转身对菲尔德说，“嗨，你，好个魔法师！睡够了吧！”

她用爪子碰了碰他，菲尔德一下子跳了起来：“啊？什么？我们怎么在这里呢？”

“快施法术呀！让月亮永远不要离开天空，让我永远像现在这样力大无穷。”

“不，这是不可能的。”菲尔德悲观地说，“我能施法术治愈伤风感冒、去除赘肉、矫正咬指甲的恶习、熬制长生不老的草药、占卜解梦……但是没有一个魔法师能把月亮拉下来！”

皮包奇卡蹦了一下，房顶随之裂了一道大缝。

“别撒谎！我知道你是魔法师！如果我不制止你的话，你早把变形妖召唤出来了！那就是我。你当时可能会战胜我，但是我更足智多谋。我现在数五个数，如果你还不施魔法，我就把你扔到月亮上去。开始数数，5！”

“那1，2，3，4在哪里呢？”菲尔德感到吃惊。

“我爱怎么数就怎么数！”皮包奇卡挥动着爪子说。

“停！”房顶开了一个洞，猫侦探跳了出来。

贼仔跟随猫侦探爬上来，还有躲藏在他们身后的灰狼。

“喂，皮包奇卡！”贼仔大喊一声，“你把帽子偷走也就算啦，还想把我们的海狸拐走吗？快放了他，不然我可不答应！”

皮包奇卡对着贼仔大吼了一声，贼仔立刻蹲下了。

“放？”皮包奇卡大声喝问，“我倒是乐意放他！我现在就放了他，但是要扔到月亮上去。他是一个完全没用的家伙。他不会施法术。扔完他以后，再把你们全都扔上去。当然除了你，贼仔。如果你表现良好。”

“我要倒霉了。”贼仔嘟嘟囔囔地说。

“不要啊！我不想被扔到月亮上去。”菲尔德哀求道，“我能施法术，我可以从帽子里变出一双疾行靴、快速飞行毯、一打小兔子，或者一束猫耳朵花儿……”

听到“帽子”这个词儿的时候，猫侦探打了个冷战，不过他很快调整好了自己的姿态。他抬起爪子，以警告的口吻说：“住手，皮包奇卡！海狸菲尔德是因为太过激动才把咒语忘记了。不过，我会帮他想起拉下月亮的咒语。”

“我不知道这个咒语呀！”菲尔德喊道。

“你知道的。”猫侦探给他使了个眼色。

“我好像开始想起来了。”菲尔德领会到了猫侦探的意图，也给猫侦探回递了个眼色。

“你总眨巴眼睛干什么呀？”皮包奇卡紧皱眉头。

菲尔德慌神了，可是猫侦探达芬奇机智地打了个圆场，说道：“这是海狸开始施展魔法了。”

皮包奇卡会意地点头。

菲尔德见皮包奇卡没有起疑心，觉得很高兴，就对猫侦探竖起来两个大拇指。

“啊，这是他在继续施展魔法！”皮包奇卡猜想。

菲尔德表情严肃，开始做一些奇怪的动作。

皮包奇卡张大嘴巴，看得出神。只见菲尔德用一只爪子站立，转动脑袋，作出金鸡独立的平衡姿势，还拍着爪子，连续伸出每个指头。

“谬法力——普发力！奇卡——布卡！”菲尔德一边唱诵，一边摇晃着。

涂色游戏

这时猫侦探达芬奇悄悄地围着皮包奇卡转，但是没有马上站在她身后。

“魔力——魔法，魔法——魔力！”

灰狼也开始摇摆，好像这样可以帮助菲尔德。

“你施展魔法怎么这么慢呢！”皮包奇卡怒气冲冲，“你是怎么回事，除了挥爪子和晃身子以外什么都不会了？”

菲尔德吓得停止不动了，但是他忽然想起来什么，从兜里掏出两个水晶球，把一个扔到自己脚底下。这球立刻开始冒烟，让菲尔德升离地面几厘米高。

猫侦探靠近皮包奇卡，伸出爪子。突然刮起一阵风，差点把皮包奇卡的帽子吹跑，幸亏她一把抓住了。

猫侦探不敢出声。菲尔德也不再挥动爪子，只是两眼盯着皮包奇卡。

皮包奇卡马上就要回过头来。

这时贼仔决定**孤注一掷**，冲到她身旁，忍着厌恶说道：“哦，亲爱的！我现在才意识到这一切是多么美好！来，拉着我的爪子，我们一起看奇妙的魔法。”

“你怎么突然变了？”皮包奇卡犹豫了一下。

“因为我知道你所做的一切都是为了我，把爪子伸过来

孤注一掷：把所有的钱一次押上去，决一输赢。比喻在危急时用尽所有力量作最后一次冒险。

吧！”贼仔朝她微微一笑，同时斜着眼紧张兮兮地看了一眼猫侦探。

皮包奇卡伸出一只爪子，另外一只爪子仍然抓着帽子。

“这还不够。”贼仔说，“把你两只爪子都交给我。”

“你要说我美若天仙。”皮包奇卡提出要求。

“你是最美的仙女！天姿国色让我神魂颠倒！”

“而且非常温柔可爱！”

“温柔可爱至极！见到你我就魂不守舍，甚至晕倒。”

“那你现在就向我表白，说真心爱我！”皮包奇卡尖叫着，同时激动得红了脸。

“必须的，等月亮藏起来的时候我就表白，把你的爪子伸过来吧！”

皮包奇卡迟疑片刻，把爪子从头上拿下来。猫侦探探身靠近，突然一股大蒜味儿冲进他的鼻子。猫侦探大惊失色，大声打了一个喷嚏。

皮包奇卡跳起来环顾四周。

“哎呀，你们想干什么呀！大家都想要我的帽子。这帮可恶的动物！你们为什么要破坏我的幸福？”

这是她最后一次用真尼的嗓子说话了。

猫侦探达芬奇使出最后的力气大喊一声“喵”！然后跳起来在空中翻了个跟头，在惊愕的动物眼前，爪子直接伸到皮包奇卡的头上，抓住了帽子。

皮包奇卡头晕目眩。此时发生了一件可怕的事：皮包奇卡没有站稳，她和猫侦探一起从房顶上跌了下去。

贼仔当机立断，采取了一个行动，这使他终生引以为傲。他冲向菲尔德，抓起最后一个冒烟的球，抛向一前一后往下坠落的皮包奇卡和猫侦探。

“哎呀！”

球打到皮包奇卡的背上，一下现出一团乌云。

坠落的速度慢了下来，皮包奇卡和猫侦探向旁边的池塘冲过去。

“哦，不！”灰狼号叫一声，“他们向池塘飞过去了！如果帽子沾水浸湿，就会有大灾难发生。”

一个可疑的东西
正确的跳水姿势
不正确的跳水姿势

第十二章
错在大家，唯我没错

猫侦探达芬奇和皮包奇卡带着浑身魔力向着池塘坠去。

“滚远点！帽子我谁也不给！”皮包奇卡吼叫着，胡乱挥动着无用的翅膀，抖动着更加没用的耳朵。“滚开！滚开！”

“这不是你的！”猫侦探在空中翻了个跟头，不知不觉他的两只后爪子踢到了皮包奇卡的头，结果把帽子给踢掉了。

“啊——啊——啊！”皮包奇卡失望地尖叫。

这时，突然喷射上来一股水柱，他俩随即跌入池塘。

当然，猫侦探会游泳，很快就浮出水面。

池塘里发生了极其怪异的现象。皮包奇卡在里面像陀螺一样旋转，激起层层波浪，她从变形妖变回了自己。爪子一个接一个地变小，奇怪的脸颊消失了，红色的圆鼻子瘪了，像一个漏气的皮球。

皮包奇卡又变回以前的皮包奇卡，那个弱小受到惊吓的小老鼠，现在正在水里拼命地挣扎。

“帽子！我的帽子！”皮包奇卡环视了一下四周，可是哪里也没有。她气呼呼地冲着猫侦探喊：“都是你把事情搞砸了！”

猫侦探没有回答，看了看周围，想找到帽子。帽子大概是掉进水里了。想到灰狼的警告，他心里掠过一种不祥的预感。猫侦探斜眼看看自己的鼻子，还没有恢复原来的红色，尽管皮包奇卡已经变回老鼠了。

猫侦探和皮包奇卡同时看到了帽子，帽子落在突出池塘水面的一块石头上。皮包奇卡全身抖动，以为这样会比猫侦探游得更快。

“呜——呜——呜！帽子！我的帽子在哪里？”灰狼号

叫着，然后从塔楼上跳下来，速度之快，唯有他才能做到。刚刚还在楼上，现在已经在池塘边了。

灰狼看见了猫侦探达芬奇，用眼睛跟踪着他游泳的方向。

“我的宝物！”灰狼离开原地，一下子冲到石头跟前。

突然，一块乌云遮住月亮。天空中出现了一个气球，是用透明胶带把原来的气球碎片粘合而成的。这个气球极速落向池塘。

“哎！我们是来救援的！”猫侦探达芬奇的朋友们在气球上喊。

“我们马上下来。变形妖，别碰我们的猫侦探！”

灰狼什么也没听见，抓起帽子，高高举起，从池塘里钻出来。但是，走到岸边时他看见一个大筐从天上向下坠落，里面坐满了动物。

“这又是什么情况？”灰狼发出一声长嚎，惊恐地急忙把帽子戴在自己头上。

他的身子哆嗦了一下，从帽子里钻出六个耳朵，皮毛变成红褐色，爪子开始增加……

大筐扑通一声落到浅水滩上，松鼠、猫头鹰、刺猬、椋鸟和三个勇敢的老鼠皮克、球恰以及布布沙从里面跳出来。

“呀！”真尼用沙哑的声音指着正在变形的灰狼叫道。

“就是他，变形妖！”乌古哈用刺耳的声音叫道。

“你们都是谁？你们这些动物想干什么？”灰狼用真尼的声音大叫。

“啊，停！”真尼大吼一声，想让大家听到灰狼偷走了他的声音。

“抓住他！”

“停下！他不是变形妖。”猫侦探游到岸边说。

菲尔德和贼仔从城堡里跑出来救灰狼。大家一阵慌乱。

“给你，丑八怪！收下吧！”猫头鹰用她的细爪子踢

了灰狼一下，椋鸟对着他的耳朵打了个喷嚏，而刺猬则挠他的腰。

“别动灰狼，他算是我的朋友！他答应把帽子给我。”贼仔拽了一下松鼠的尾巴，把刺猬推到水里去。

身处动物们中间的菲尔德不知如何是好，只能上牙打下牙，弄得咔咔作响。

“别打架了！别溅得到处是水！是谁踩住我的尾巴了！太不像话了！踩扁了！

“别碰我！”灰狼大叫，想要拽紧帽子，“我没有危险性，这不，你们看呀！”

但是，老鼠们抓住了他的爪子，四处拉扯，灰狼扑通一声掉到水里了。

帽子从他头上掉下来，落入他身边的水中。

灰狼又变回了自己，不过这次的变化被另外一种现象掩盖了。

帽子在水面上跳跃着，激起波浪，溅起水珠向四处扩散。

“哦，太可怕了！”灰狼吼叫着，“大难临头了！法力无边的圣物这下弄湿了。”

猫侦探游到了岸边，扑向帽子，想抓住它。可是这帽子像一只青蛙在乱跳，闪着耀眼的光，让你无法睁开眼睛正视它。

“现在怎么办呀？我们大家都会变成鱼吗？星星会坠落到地上吗？微生物会变成苹果那么大吗？”惊恐万分的贼仔向岸边退去。

灰狼把爪子伸向天空，瞪大眼睛，大哭起来：“即将发生我想象中最可怕的事情。帽子已经丧失它本来的能力，再也不能释放魔法了。”

“这一切都当真如此吗？”贼仔小心地问道，“不会发生大爆炸吧？”

突然间同时发生了几件事。

猫侦探的毛发变回红褐色，鼻子变回红色；刺猬阿加西浑身的针刺都竖起来了；椋鸟真尼的嗓子也不哑了；松鼠布拉卡又有了正常活动的能力；皮克、球恰和布布沙的耳朵也回来了；猫头鹰乌古哈又有了翅膀。在城堡深处一个黑色的卷成小团的东西有八条腿，一下变成了蜘蛛，它高兴得要命，开始编织一张新网。在很远很远的地方有一只光秃秃的绵羊，居然一下子长出新的卷毛。

“快看呀，我的爪子又变回原来的样子了！”布拉卡兴高采烈，左右爪子交换跳跃。

“我可以唱歌！呕——呕——呕！得啦——得啦——得啦！你小心点，别扎着我！”

“我已经忘记针刺是什么样的了。”阿加西嘟囔道。

集体大狂欢开始。真尼唱歌；乌古哈挥舞翅膀；阿加西在干草上打滚，同时扯着破嗓子唱起来；布拉卡欢蹦乱跳；菲尔德高兴地抓住贼仔，把他举过头顶，贼仔便做出展翅飞翔的样子。

大家把帽子的事全忘在脑后。它像一颗星星落到池塘底，失去了光辉。

这时，一声尖叫使狂欢**戛然而止**，浑身湿透的皮包奇卡

戛（jiá）然而止：形容声音突然终止。

坐在岸上，失望地放声大哭起来。

“你们都不是好东西！我不想再见到你们！我最好变成一条鱼。”

“别发神经了！你把整个动物城都吓坏了，让动物们都失去了天生的才能……”

菲尔德转头离开，没抓贼仔，而是“扑通”一声跳到水里去。

贼仔站起来，气哼哼地看了皮包奇卡一眼：“哭什么哭？不觉得惭愧吗？”

“这都是因为她！她借助这顶帽子的魔力偷走了你们的天赋才能，什么都不想共享，吝啬鬼一个！”

动物们七嘴八舌，吵个不停。

“太恐怖了！”

“可怕的行为！”

“你怎么能干得出来！”

“这就意味着魔法在帽子里。”菲尔德拍了一下自己的脑门，“总之，我全都明白了。”

“那你为什么啥都不告诉我呢？”猫侦探觉得很奇怪，“如果事先说了，我们也不至于吓成这样，说不定当时就把神帽拿回来了。”

“我立刻明白的是，我根本啥也没弄明白。”菲尔德微笑着说，“这魔法太神奇了！如果这是在比赛的话，我会给这个小老鼠一等奖。”

“这不是魔术，而是骗术！”乌古哈喘着粗气说，“我从来没相信过老鼠，他们生来撒谎成性！他们一会儿偷走奶酪，一会儿咬坏护墙板，还会在墙上打洞……”

猫侦探摇头：“看吧，皮包奇卡，你干的蠢事，现在动物城都以为所有老鼠的都跟你一个德行。”

“可我们不是这样啊！”皮克、球恰和布布沙齐声尖叫道。

除了乌古哈，大家都同意他们的意见。

皮包奇卡浑身的毛都抖起来了。她眼泪直流，耳朵下垂。

“我只是开个玩笑！为了逗贼仔高兴，装一阵子丑八怪，然后我会把一切都还回去的。你们忘了吗？我可是心地善良的呀。”

“哇，你真是心地善良！”贼仔生气了，“把帽子偷走了，想据为己有？你凭什么认为我们会喜欢你？”

皮包奇卡跳起来，紧握着小拳头：“我必须让你对我一见钟情，因为我现在可以又蹦又跳，可以唱歌……就像你喜欢的报纸上的那些动物那样。”

皮包奇卡从兜里掏出一张湿漉漉的报纸，用爪子抓着抖了抖：“我记住了所有的动物，从他们那里获得了才能，为的是变得更优秀。而灰狼并不需要神帽，他总是待在城堡里，足不出户。”

“这不意味着你可以随便拿走他的东西。”猫侦探说，“尽管这些东西他放着不用！”

“我为什么不用呢？我经常用啊！确切地说，我过去一直在使用呢。”灰狼回答说，“虽然，帽子里爬进蜘蛛以后，它开始把我变成八腿绵羊，我再也不能去动物城里觅食了，只能吃林子里的东西，浆果、蘑菇、橡木果和一些树皮。”

灰狼开始用爪子在水里寻找帽子。

“披着羊皮的狼。”乌古哈嘟囔了一句。

“蜘蛛——绵羊。”真尼纠正她，“还要戴上一顶结实的帽子，一点儿美感都没有。”

皮包奇卡失望地看了看猫侦探：“当然了，说起来容易！因为你是万能的，而我却从来什么都学不会。”

“别哭。”球恰安慰她，“我给你一个简单的秘诀，生活就会一帆风顺了。”

皮包奇卡抽了一下鼻子：“什么秘诀呀？”

“一切都要靠**自力更生**，不要指望魔力出现，因为它早晚都会烟消云散的。”

猫侦探点头称是。

“可是我能干什么呀？我是个小不点儿，而且还傻乎乎的！我脑袋就一根弦儿，爪子只能拿一样东西。想象一下，这有多么艰难啊！”皮包奇卡开始大声痛哭。

“别大哭大叫了。”贼仔说，“我能教你一些新技能，比如开罐头盒子和咬图书。我从小就擅长咬东西。”

“哦，快教会我吧！也许我能变得让大家喜欢呢！”

“当然，你会的。”猫侦探说。

“你们大家都这么善良，那就请原谅我吧。”皮包奇

自力更生：指不依赖外力，靠自己的力量重新振作起来，把事情办好。

卡说道，“我再也不会像现在这样了！我用贼仔的尾巴发誓！请你们原谅我。小爪子松鼠，慈善君子刺猬，美男子椋鸟，精灵鬼头老鼠们。当然了，还有无所不知、无所不晓的猫头鹰，善良的猫咪和快乐的海狸。”

动物们都非常满意，你看看我，我看看你，交换着眼神。

“呀，太棒了！”菲尔德环视四周，“你们怎么不开心呢？一切事情都有好的一面。这只老鼠明白了什么是不对的，我们也认识了灰狼，又经历了一次非比寻常的冒险！这一点是必须要指出的。或许我们咬点儿什么庆祝一下？那边木头多得是。猫头鹰，你曾经答应给我一段原木呢！”

“你只要有东西咬就行了。”乌古哈小声地说，然后出其不意地从包里拿出一块漂亮的原木，“给你，请用吧！”

菲尔德高兴得咬出“咔嚓咔嚓”的响声。动物们不出声了，皮包奇卡开始抽泣。

“好了，是时候了。”猫侦探说，“我们上气球吧。夜晚快过去了。到了早晨，如果大家没忘记的话，还有精彩的节目等着我们呢。”

“我可以跟你们一块儿去吗？”皮包奇卡问。

谁也没反对。非常奇怪的是，谁也不想躺下睡觉。动物们愉快地交谈着回到大筐里去。

皮包奇卡突然拉了一下猫侦探的爪子：“我们把灰狼给忘了。他对我呵护备至，和你们对我不一样，我们不能把他扔在这里不管。”

“为什么不能？”贼仔从大筐里喊了一句，“就让这个自私鬼孤苦伶仃地留在这里吧。如果他及时和我分享帽子，这一切就都不会发生了。”

“你这个冷酷无情的家伙！”皮包奇卡喊道，“我对你非常失望，现在我爱上灰狼了。”

“哎呀，总算不纠缠我了。”贼仔嘟囔了一句，便赶快躲起来，免得让多愁善感的小老鼠再见到他。

猫侦探环顾四周。灰狼驼着背蹲在池塘里，能听到他默默抽泣的声音。

“他在找自己的帽子。”皮包奇卡伤心地说，“这都怪我……你说，如果我给他织一双短袜，他会不会高兴？”

“找到了！”灰狼举起湿淋淋的帽子，伤心地大喊，“现在这帽子完全失去了魔力，怎么办呀？我不能从其他动物身上获取能力了，也永远变不成绵羊了。就是说我再也不能去美好的动物城了，我得永远留在这里了！”

一阵哄堂大笑，动物们兴高采烈地交换意见，准备起飞。

灰狼垂头丧气，一瘸一拐地往岸上走。

“要想进城不是非得变身不可，跟我们一起飞吧。”猫侦探喊道，“我们正好能赶上早晨的庆典。”

“不，不，动物们不喜欢我，一见面就会赶我走，这就是命啊……我从小并不是这样，我能倒着写字母，也分不清前后左右，夜里睡觉把尾巴塞到枕头底下。我做事经常心不在焉，简直太可怕了！我能把裤子套在脑袋上，能把茶杯当三明治吃掉，什么事都能忘得一干二净。正好问问你，我这是在说些什么呀？”

灰狼自己都困惑不解，于是停下不说了。

“你说你自己有多么不靠谱。”皮包奇卡提醒他说。

“不能这么说！我有时坐在那儿，看着自己的爪子，想不明白，为什么只有四只了，应该有六只才对呀。有时我觉得，爱我的都很温柔体贴，不爱我的都很尖酸刻薄。”

“难道你就没有什么优秀的品质吗？”

“有啊！我健步如飞，也擅长绘画。我会嚎叫，也就

是会唱歌，甚至被邀请去参加演出，可是我不好意思抛头露面。还有，我有特异功能，我能在任何情况下辨认出东西南北，就是在地洞里也不会迷失方向。”

猫侦探微笑着说道：“你真是个旷世奇才！任何一个航行家都会愿意和你称兄道弟的。首先，你在任何情况下都知道往哪里飞。其次，跟你在一起永远不寂寞。不是唱歌，就是编笑话，再就是耍花招，或者拿起笔画画。”

“你真这么认为吗？会有谁看好我吗？”

“当然了！”猫侦探说。

“你能行。”贼仔在大筐里肯定地说，“当然，如果你不只是为自己着想，还能想想其他动物的话。听你讲自己那些鸡毛蒜皮的破事，我差点儿睡着了。”

“那我们现在做什么呢？快点儿往城里飞吧，庆典还等着我们呢！”灰狼一边说，一边向大筐跑过去。

真尼的气球升到城堡上空后就朝城里飞去。气球顺风飞翔，一会儿城市就出现在动物们视线里，城里洒满初升太阳的金色光芒。

“乌拉！”动物们欢呼雀跃。灰狼拥抱皮包奇卡，而贼仔则紧握住猫侦探的爪子。

动物们乘坐的气球在空中遇到了厚厚的云层迷宫。请帮助他们穿越迷宫，回到动物城。

这是海市蜃楼
烟雾
动物城
多云之路
大雾
气球
底层密云
我们飞往哪里呀?

母鸡真理报

特急快讯

猫侦探达芬奇拯救城市

伟大的猫侦探达芬奇从可怕的怪物手中拯救了城市！此事的全过程你们可以在本报未来的 300 期中一探究竟。每期报纸中均有精彩呈现！收集 300 期中的有用的句子，剪辑成集，即可获奖。剪剩的报纸是引燃炉火的绝佳之物。

声明

勤奋的刺猬两分钟就能吹鼓气球。当然是在不吹破的前提下！

如果您有需要，请到老树墩联系我。

刺猬阿加西

魔术广告
我无所不能

我能让你魔法附身：打嗝不停，秃顶掉毛，鼻青脸肿，厌恶心上人，让照片上的一切荡然无存，让你对一切无知无觉。

烂番茄、臭鸡蛋和口水恕不接受。

只接受原木支付。

魔法师海狸菲尔德

广告

蜂房招募打工蜜蜂，
带条纹的苍蝇恕不接待！

蜂房里的养蜂者

第十三章
气球狂欢节

动物们欢聚在画了斑马线的广场上，他们个个春风满面，喜气洋洋，使得节日的广场更显得热闹非凡。广场上空飘浮着气球、三角滑翔机、飞艇、风筝，甚至还有一个飞碟。

观众们挥动着小旗，驾驶员们则在空中挥手致意。大家都满怀着喜悦的心情。

雄壮的乐曲奏响了，猫侦探在观众的欢呼声中跳上舞台。

“乌拉！我们天才的猫侦探和我们团聚了！猫侦探达芬奇万岁！”

猫侦探鞠躬致谢：“欢迎诸位，光荣的动物城居民们！欢迎各位亲爱的来宾们！请诸位准备好，充满冒险和惊喜的一天正等待着你们。今天，这一精彩纷呈的气球狂欢节是为所有动物的友谊而举办的。盛会的开端是一个十分震撼的消息。我要向诸位介绍一位来宾，他是周围动物们多年来所畏惧的。但从今天开始，他就是我们的朋友了。”

全场鸦雀无声。灰狼眉毛乱糟糟的也没修剪，就这样登上舞台。他在猫侦探身后停下来，用忧郁的目光看着大家，爪子里拿着失去魔力的帽子。

“这是灰狼！”猫侦探大声说。

“是的，这是灰狼呜呜呜赫，城堡废墟里的变形妖，他能变成一头绵羊。不过现在这一切都结束了。”猫侦探接着介绍道。

动物群里响起反对的声音。

“就是他袭击动物们的！”

“袭击动物们的不是他！”不知道从哪里传来了皮包奇卡的声音，“灰狼是一匹好狼，他仪表堂堂，却孤苦伶仃。大家不要说他的坏话！”

苦大哈跳上舞台，抢过麦克风：“请关注《母鸡真理报》吧！只有在报纸上才能读到有关灰狼的真实信息，就是那只曾经隐姓埋名、传说中恐吓整个动物城的灰狼。”

她热情地握住猫侦探的爪子，拥抱了灰狼，还照她自己平时的习惯啄了一下他的鼻子，然后把客人请到话筒前。

“嗨……大家好！”灰狼说道，“谢谢你，猫侦探。真高兴，动物们知道了真相。我从来没有过这么多像你们一样的好朋友。我保证以后再也不吓唬动物了。”

“我内心深处受到感动，或许，比深处更深！”动物群中的贼仔扑哧笑出声来。

“哦！我太高兴了！”灰狼有点儿**腼腆**地说，“我邀请你们大家去我那里做客。我的城堡虽说已经被毁坏，但是依

腼腆（miǎn tiǎn）：害羞，不自然。

然很漂亮，你们可以作为旅游者来参观。我用自己的尾巴发誓，我会请各位在壁炉前喝茶，那些造访我的朋友，会被我惊心动魄的故事深深吸引。”

“乌拉！”响起了暴风雨般的掌声。

猫侦探拍着灰狼的肩膀说：“我们肯定会去拜访你，现在让我们继续节日庆典吧。好，请大家注意，几分钟后会有

魔力头饰
隐形斗篷
飞行云彩

惊喜等着我们！狂欢节的嘉宾海狸菲尔德是一位著名的魔法师，他将主持魔术比赛，并把令人惊喜的奖品颁发给魔术表演者，前提是表演的魔术必须精彩。不要走开，现在请猫头鹰乌古哈讲几句话。”

在稀稀拉拉的掌声中乌古哈登上了舞台，同时眯起了眼睛，因为阿加西突然把探照灯打开了。

“我今天只作简短的发言。让善良的动物们更加善良，有责任感的动物们更加有责任感，秉持公正的动物们更加公正。让节日更加喜庆！祝福大家！”乌古哈突然一声大喊。

砰！金色的烟花洒向观众。舞台空了，苦大哈带着她的相机跑出去了。

她打算窥视一下海狸菲尔德在屏风后面准备发言的情况，贼仔却在她身后扯了一下她的尾巴。苦大哈笨拙地跳起来。

“我已经到处都飞遍了。”贼仔说，“赶快写关于我的报道吧！我是第一个乘坐气球、风筝、气垫和气船的动物。”

苦大哈刚想张嘴说话，突然不知从何处飘过来一股烟气，呛得她咳嗽起来。

各种颜色的烟雾笼罩着舞台，随之响起神秘的乐曲，菲尔德在震耳欲聋的掌声中腾空而起。他裹着金色的头巾，披着红色斗篷。

“动物们，大家好！震撼吧，狂喜吧！我是伟大的、独一无二的海狸菲尔德。我要给大家表演精彩绝伦的节目，你们观看时尾巴会颤抖，毛发会竖起来，旧鱼鳍会脱落。”

他挥动爪子，所有的观众都发现自己爪子里拿着一束鲜花。椋鸟真尼、刺猬阿加西和黄鼠史木茨都特别不好意思，于是把自己的花儿送给了皮包奇卡，这只小老鼠一下子变成了移动的花坛。

菲尔德并没有就此停下来。他在空中变出一块冰激凌大蛋糕，直接落到了广场中央，每一位观众都可以品尝一小块。接着天空中下起了带甜味的白雪，广场上空又出现了一道由糖果组成的彩虹，坐在气球上的动物们可以随时摘下享用。

最后开始魔术表演比赛，城里的动物们都来参加了。魔术表演都非常精彩，观众们的尖叫声和欢呼声此起彼伏，急切地等待下一位带来更神秘的魔术表演。不过这些对海狸菲尔德都没有什么秘密可言，因为他都表演过。他不断地喊着：“家兔坐在帽子上了！那个盒子是双层的！锯子不是真的！这个动物有两个脑袋！”

为了不让演员们失望，菲尔德奖给他们每位一顶金王冠。

最后的表演者是一只雎鹌鹑，她从兜里变出一长串结在一起的手帕。菲尔德立刻就猜到了，手帕是藏在身后的背囊里，然后顺着袖子拽出来的。

魔术表演到此结束，可是优胜者尚未选定。

菲尔德的魔椅降了下来，他起身向前伸出双爪。

“这头等奖该发给谁呢？”这是从广场上传出来的声音，“演员们都很卖力呀！”

“朋友们！当然了，我作为一个魔术大师，一切尽在意料之中。不过有一个魔术，我也没弄明白。”

“哪个魔术啊？快告诉我们吧！”

“这个魔术的本质就是我爱你们大家。从前我很少和谁联系，只顾想自己的事，我太自私自利。是你们创造了奇迹，让我喜欢上了你们，同时也乐于为城里的居民们做一些有益

的事情。”

“乌拉！”动物们欢呼着把花束抛向天空。

“你们想得到什么奖品？一双新皮鞋，还是一块怀表？”

“还是帮帮灰狼吧！他住在那个破城堡里，那里一年四季都很冷。”皮包奇卡喊道。

“这个想法很好。”有谁支持道。

“是啊，让灰狼也交一回好运，哪怕一生中仅此一回也好！”

“好吧，如果大家都愿意……”

“愿意！”

菲尔德拍了拍手，灰狼也变样了。他头上戴一顶黑色礼帽，身穿一件体面的上衣，爪子里拿着一根漂亮的手杖。

“谢谢！”灰狼呜呜呜赫有些难为情地说。

菲尔德躬身补充说：“我还要请我的海狸朋友们帮助修理城堡，顺便把屋顶刷成五颜六色的，让它成为世界上最光鲜亮丽的城堡！”

“乌拉！”大家齐声欢呼。

“现在，一起跳舞吧！我们的超级明星椋鸟真尼开始表演！大家尽情狂欢吧！”菲尔德宣布完就消失不见了。

探照灯骤然亮起，在灯光照耀之下，帅气的真尼现身了，观众欢呼尖叫。

真尼开始用他动听的歌喉演唱，歌声比以前更加悦耳。他动情演唱，广场上空气球一个接一个地旋转飘动，组成各种队形，好像在伴舞。

动物们都投入到舞蹈之中，庆典举办成功，皆大欢喜。

灰狼和皮包奇卡跳得非常尽兴，不停地在头顶上挥舞着小帽子。灰狼甚至没有注意到小帽子从爪子里掉了下去，“啪”的一声正好掉到贼仔的脚下。

贼仔急忙把帽子踩住，又贼头贼脑地环顾一下周围。确认谁也没注意这件事后，他弯下身子，假装要掸掉尾巴上的灰尘，快速地拿起帽子就溜走了。

贼仔正从广场往外跑，一下撞上了鳄鱼，这家伙正在跳舞，活像一根绿色的原木在打滚儿。贼仔差点跌倒，回头又撞到乌古哈。他从乌古哈的两条腿之间穿过去，跳过栅栏，跑出了广场。

他不顾一切地一门心思往前跑，越跑越远。他穿过院子、胡同，最后跑进一个阴森的小巷。

贼仔在那里停下来，大口喘着粗气。他举起爪子一看，吓得说不出话来，他的爪子上都是帽子上的线头儿，而帽子已经不见踪影了。

“这是魔法！”贼仔吓坏了，赶紧把线头都扔掉。

这时候，乌古哈正站在广场边上高兴地缠着一个灰色线团。

“我可以给自己织一个马甲穿。”她满意地说。

乌古哈缠完线团，惊奇地发现，这些毛线散发出苹果的清香。她走出广场，惊讶地看到了自己的汽车，她怎么也想不出汽车是怎么开到这里来的，不过她对这个发现还是很高兴。

乌古哈“扑通”一声跳进车里，快速开车前往自己的树宅。一路上线团逐渐地散发出淡淡的香气。

回家后她把线团放到天鹅绒口袋里，并且用绿色丝带把袋口扎紧，再把口袋放进小匣子里并上锁，再把小匣子放到橱柜的抽屉里，再挂上门钩儿。

“好东西呀！”乌古哈忙完了才说了一句，“正好我用得上！”

抽屉震动了一下，从很窄小的隔板缝里泛出蓝光。

乌古哈仔细地用台布把橱柜罩上，于是那光线就消失了。

尾声

灰狼呜呜呜赫高兴得满面春风，看来帽子丢了还给他带来了喜事。现在他有了许多朋友，也可以放心大胆地在城里散步了，见了谁都可以摘下新的帽子与对方打招呼了。

“向您问好，尊贵的乌古哈女士，您可安好？”灰狼一本正经地说道。

“活得比你好啊。”乌古哈用挑衅的口气回答，“你那里怎么样，海狸没用锤子把你的城堡给砸了吧？”

“看你说的。海狸是出色的建设者，他们已经把刺猬的树墩修好了！现在开始维修城堡，很快我就可以请诸位参加我的新房派对。”

情况和灰狼说得完全一致。海狸们已经着手修复城堡，他们个个**摩拳擦掌**，干劲十足。真的，他们有使不完的劲。他们不仅修复了城堡，还在旁边建了几座斜塔，修了一架漂亮的跨河桥，铺设了一条不知道通往何方的彩色道路，甚至还清理了公园中的树木。现在，公园看起来有点怪异，所以不得不添上一些雕塑加以美化。为此他们请来了天才的雕塑家熊蜂艾伊，他干这活也是轻松自如，表现得十分用心卖力。

他雕塑的结果是：猫侦探达芬奇被拉长了，贼仔被压扁了，皮克变成小球形了，球恰成了三角形，布布沙是个正方形，乌古哈是平面的，布拉卡是波浪形，阿加西歪歪扭扭，苦大哈身子左右不一样，莎娃变成了微生物，海狸是个直角的。还有许多其他动物也都改变了原来的样子。主雕像灰狼立在城堡的入口处。灰狼的形象是他变形瞬间的样子，所以他的雕塑都是使用弯曲的线条，总体成了难以形容的奇怪样子。

摩拳擦掌：形容战斗或劳动之前，人们精神振奋，跃跃欲试的样子。

直到秋末，灰狼费了很大力气才说服热爱劳动的海狸们把工作停下来。原本他们还打算在城堡旁边挖一个大湖。为了庆祝工程竣工，灰狼组织了狂欢节派对。海狸们欢呼雀跃。动物城的居民都来参加了这个派对，大家一起狂欢了一整夜，直到天亮才散去。菲尔德用奇妙的馅饼招待大家，吃了后鼻子都变成了各种颜色。大家还听了灰狼讲故事，和猫侦探一起玩“抓强盗”游戏，和真尼一起唱歌，最后全体一起跳舞。黄鼠在门口兜售卷发用的小帽子，尽管没什么法力，大家还是竞相抢购，扮演变形妖取乐。

这个精彩的故事就此结束。

乌拉！本书到此结束了，这就意味着天才猫侦探达芬奇新的侦探故事在等待着你们。故事里当然还有自以为足智多谋的凶恶的贼仔所犯下的种种罪行！

你们的卡佳·玛图什吉娜

你好吗？
风朝那边吹
乌古哈
贼子
禁止踩踏！
猫侦探
都很神奇！
可爱又茂密的小嫩草

1
2
5
6

按顺序画灰狼

侦探技能

1. 熟练的驾驶技术。猫侦探在探案过程中有很多追逐或者与时间赛跑抢占先机的场景，利用到的交通工具也是各种各样的。不管是天上飞的，还是地上跑的，抑或是水里游的，都要精通。所以精湛熟练的驾驶技术显得尤为重要。猫侦探和他的小伙伴在驾驶技术方面显然是有优势的。

2. 矫健的身手。作为一名侦探，自然是经常会遇到危险，能依靠自己的身手来保护自己以及伙伴是必备的能力。猫侦探从城堡顶上夺下皮包奇卡的帽子并保护了她，完美地展示了自己矫健的身手。

3. 镇定强大的内心。猫侦探在破案过程中，经常遭到敌人的诽谤和污蔑，甚至还有来自同伴的质疑。但是他并不急于解释，也不会受到干扰，而是头脑清晰地继续投入到案件侦破中。

读完这个故事，你有没有被猫侦探达芬奇的智慧折服？拿起笔来写一写，猫侦探是如何识破变形妖，并让动物城恢复平静的。

动物城的新年之夜将会有惊喜，

届时会有描写神秘盗窃案的新书出版，

敬请期待！